KB103363

PPT로 책 출간 1

PPT로 100년 수입 창출 책 쓰기, 책 출간

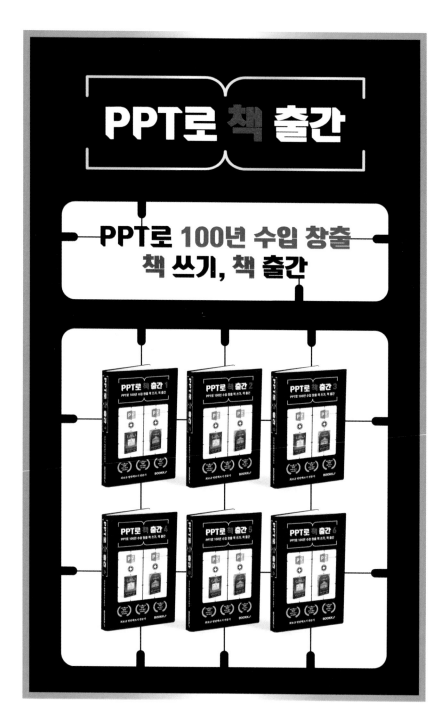

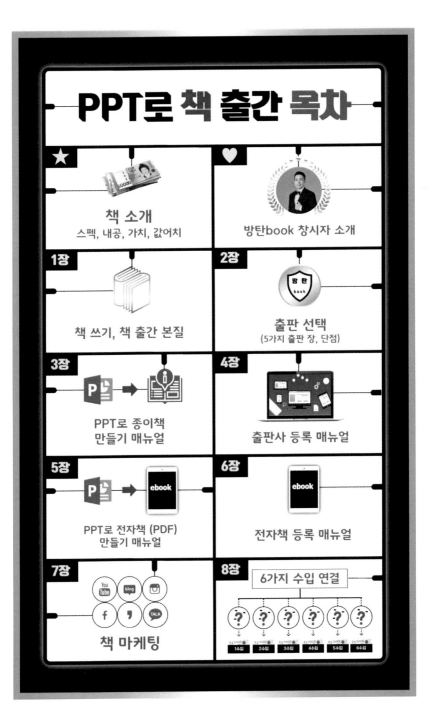

PPT로 책 출간

만나서 반갑습니다!
좋은 일이 생길 거예요!

가슴이 설레는 만남이 아니어도 좋습니다.
가슴이 떨리는 운명적인
만남이 아니어도 좋습니다.
만남 자체가 소중하니까요!

최보규 방탄BOOK 창시자

머리말

지금 시대는 노오력이 배신하는 시대이다. 자신 분야 올바른 노력을 해야지만 살아남는다.

열심히 사는 것과 진짜 원하는 삶을 사는 삶의 차이가 무엇인지 아는가? 열심히만 사는 것은 노오력(시간, 경험만 채우는 노력)이고 원하는 삶을 사는 삶은 올바른 노력(어제보다 나음, 변화, 성장, 수입 상승)이다.

PPT를 활용해서 일을 하는 사람들이 많다. 누군가는 PPT를 활용해서 경력만 쌓고 일만 한다. 일할 때 외에는 활용하지 않는다. 하지만 누군가는 PPT를 활용하여 책을 출간해서 제2수입, 제3수입을 올린다. 왜 가지고 있는 경력, 가지고 있는 PPT를 썩히고 있는가? 자신 분야 경력과 PPT로 노오력이 아닌 올바른 노력을 해야한다. 책 쓰기, 책 출간도 올바른 노력을 해야 한다는 뜻이다. 노오력과 올바른 노력 차이를 비교해 주겠다.

노오력은 한 달에 책 10권만 읽는 사람.
올바른 노력은 한 달에 15권을 읽고 책 4권 출간을 해서 자신 분야 결과를 만들어 내는 사람.
노오력은 1년에 책 100권만 읽은 사람.
올바른 노력은 1년에 책 150권을 읽고 50권 출간을 해서 자신 분야 결과를 만들어 내는 사람.

노오력은 3년 동안 책 300권 만 읽는 사람. (책만 많이 읽는다고 결과가 나오는 게 아니다.) 올바른 노력은 3년 동안 책 450권을 읽고 종이책 150권, 전자책 250권 총 400권 출간으로 자신 분야와 6가지 수입 창출 시스템을 인갑하여 결과를 만들어 내는 사람.

책 1,000권을 읽은 사람보다 자신 분야 1권 출간(결과물)한 사람이 결과적으로 인정받는다. 책 1,000권 읽은 결과물을 무엇으로 증명할 것인가? 당연히 책 1,000권을 읽은 사람 중에 인생관이 바뀌어 삶의 질이 달라지고 자신 분야 터닝포인트가 되는 사람도 많다. 하지만 결과물로 인정받는 현실 속에서는 책만 많이 읽는다고 증명 할 수 있는 결과물이 없으면 1,000권, 10,000권을 읽었더라도 인정해주지 않는다.

'나 1,000권 읽었다.' 와 '나는 책 1권 출간해서 이렇게 결과를 만들어 냈다.'는 어마어마한 차이다.

결과물이 전부가 될 수 없지만 현실에서는 어떤 결과물을 만들어 냈느냐가 진무를 말해주는 경우가 더 많다는 것이다.

당신이라면 어떤 사람을 책 쓰기, 책 출간 전문가라고

할 것인가?

어떤 전문가에게 책 쓰기, 책 출간 교육, 코칭을 받을 것인가?

1. 책 10,000권 읽고 책 12권 출간 한 사람.

2. 책 2,000권 읽고 종이책 150권, 전자책 250권 총 400권 출간 한 사람.

1번 사람과, 2번 사람의 차이가 무엇인지 아는가? 책 쓰기, 책 출간 방법만 알고 있느냐 책 쓰기, 책 출간 기술력을 알고 있느냐 차이라는 것이다.

필자가 방탄book기술력을 보유했기 때문에 400권을 출간할 수 있었다는 것이다.

방법만 배우면 한 번에 결과가 나오지만 기술력을 배우면 21세기 황금알을 낳는 거위라는 무인 자동 시스템을 만들 수 있다.

누구도 말할지 못한 방탄book기술력
어디에서도 보지 못한 방탄book기술력
어떤 책에서도 보지 못한 방탄book기술력
어떤 영상에서도 보지 못한 방탄book기술력
어떤 사람에게도 들을 수 없는 방탄book기술력
대한민국 최초, 세계 최초 출판계의 혁신! 방탄book기술력을 오픈한다.

목차

8

20,000명 심리 상담, 코칭으로 알게 된 사람들이 바라는 6가지 시스템!

1
커피숍에서 지인과 대화 중에도 돈이 입금되는 시스템?

2
자고 있는데 돈을 버는 시스템?

3
여행 중에도 돈이 입금되는 시스템?

4
사무실, 직원이 필요 없는 시스템?

5
건물주처럼 월세가 입금되는 시스템?

6
집에서 댕댕이와 휴식하고 있는데 돈이 입금되는 시스템?

세계 최초! 출판계의 혁신! 돈이 들어오는 6가지 시스템을 가능하게 하는 것이

방탄book기술력!

평균 희망 은퇴 73세, 현실 은퇴 나이 49세! 100세 시대 언제까지 몸(노동)으로만 일해서 돈을 벌 것인가?

세상, 현실 기준에서 스펙, 돈, 인맥, 자산 등이 없어서 100세까지 노동을 해야 되고 몸까지 아프면 더 답이 없는 상황! 젊을 때는 100가지 중 99가지를 할 수 있지만 나이 들면 100가지 중 99가지를 할 수 없다. 3고 시대, AI 시대, 챗 GPT 시대에 자신의 직업이 사라 질 수 있는 상황에서 어떻게 준비, 대비할 것인가?

 방탄BOOK기술력 선택이 아닌 필수!

세계 최초
방탄
BOOK
기술력

| Google 자기계발아마존 | ▶YouTube 방탄자기계발 | NAVER 방탄BOOK | NAVER 최보규 |

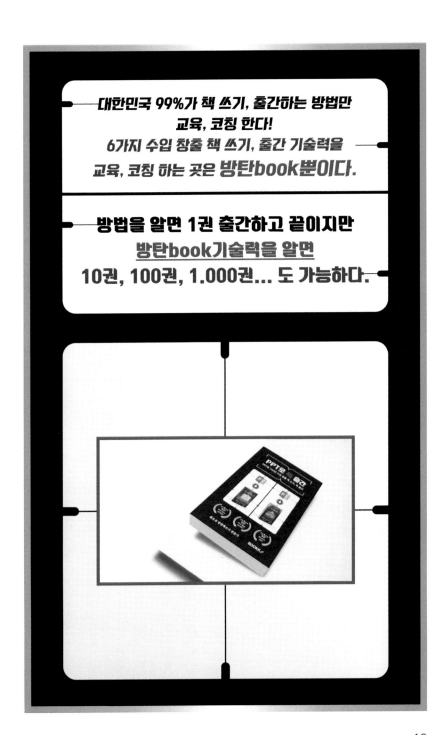

대한민국 99%가 책 쓰기, 출간하는 방법만
교육, 코칭 한다!
6가지 수입 창출 책 쓰기, 출간 기술력을
교육, 코칭 하는 곳은 방탄book뿐이다.

방법을 알면 1권 출간하고 끝이지만
방탄book기술력을 알면
10권, 100권, 1.000권... 도 가능하다.

20,000명 심리 상담, 코칭으로 알게 된 20,000명이 바라는 책 쓰기, 책 출간 교육, 코칭

 10가지

1 한번 출간한 책으로 평생 활용하는 방법을 알려주는 교육, 코칭

2 로또 2등과 같은 기획출판을 하기 위해서 출판기획서 제작 스트레스, 거절 메일을 확인 하는 스트레스, 370가지 스트레스... 등 마음고생 덜 하고 책 출간할 수 있는 책 쓰기 교육, 코칭

3 책 활용 수입 창출 시스템 교육을 검증 된 전문가에게 한 곳에서 시간, 돈 낭비를 줄여주는 책 쓰기 교육, 코칭

4 한번 코칭으로 100년 a/s, 피드백, 관리해주는 책 쓰기 교육, 코칭

5 책 출간 후 자신 분야 삼성(진정성, 전문성, 신뢰성)을 높여 자신 분야 내공, 가치, 몸값까지 올릴 수 있는 책 쓰기 교육, 코칭

6 출간한 책으로 <u>강사가 되어 은퇴 후 제2의 직업</u>을 할 수 있는 책 쓰기 교육, 코칭

7 책 출간 후 자신 분야 코칭 전문가가 되어 은퇴 후 <u>제3의 직업</u>까지도 할 수 있는 책 쓰기 교육, 코칭

8 책 출간 후 온라인 콘텐츠까지 제작을 해서 <u>비수기 없는</u> 책 쓰기 교육, 코칭

9 책 출간 후 디지털 콘텐츠까지 제작을 해서 <u>월세, 연금성 수입까지 발생</u>시킬 수 있는 책 쓰기 교육, 코칭

10 책 한 권 출간하고 끝나는 것이 아니라 <u>100년 동안 책을 무한대로 출간</u> 할 수 있는 책 쓰기, 책 출간 기술력을 교육, 코칭

책 쓰기, 책 출간 교육, 코칭은 누구나 한다.
<u>6가지 수입 창출 책 쓰기, 책 출간</u>
<u>교육, 코칭은 방탄BOOK 창시자 뿐이다.</u>

대한민국 99%가 책 쓰기, 출간하는 방법만
교육, 코칭 한다!
6가지 수입 창출 책 쓰기, 출간 기술력을
교육, 코칭 하는 곳은 방탄book뿐이다.

방법만 배우면 돈이 계속 나가지만
방탄book기술력을 배우면
돈은 계속 들어온다.

자신 분야 스펙, 내공, 가치, 값어치

카페에서 냅킨에 그린 그림이 1억?

카페에 피카소가 앉아 있었습니다. 한 손님이 다가와 종이 냅킨 위에 그림을 그려 달라고 부탁했습니다. 피카소는 상냥하게 고개를 끄덕이곤 빠르게 스케치를 끝냈습니다. 냅킨을 건네며 1억 원을 요구했습니다.
손님이 깜짝 놀라며 말했습니다. 어떻게 그런 거액을 요구할 수 있나요? 그림을 그리는 데 1분밖에 걸리지 않았잖아요. 이에 피카소가 답했습니다.

아니요. 40년이 걸렸습니다. 냅킨의 그림에는 피카소가 40여 년 동안 쌓아온 노력, 고통, 열정, 명성이 담겨 있었습니다. 피카소는 자신이 평생을 바쳐서 해온 일의 가치를 스스로 낮게 평가하지 않았습니다.

《확신》

강의, 코칭, PT = 내공, 가치, 값어치!

최보규 대표

상담, 코칭, 강의, 컨설팅 문의
010-6578-8295

- ☑ **특허청 등록**
  등록 번호: 제 40-2072344 호 [최보규 자기계발코칭 창시자]
- ☑ **20,000명 심리 상담, 코칭**
- ☑ **2,000권 독서**
- ☑ **자기계발서 150권, 전자책 250권**
- ☑ **강사 15년**
- ☑ **7G 직업**
  (출판사 대표, 작가, 심리 상담사, 코칭 전문가, 강사, 유튜버, 한집의 가장)
- ☑ **45년간 습관 320가지 만듦**

강사 15년 / 강의 6,000회를 통해 알게 된
교육 담당자, 학습자가 바라는 강사

1. 가성비 강사 (1+4)
강의 시간 속에 즐거움, 메시지, 스토리텔링,
감동, 실천 동기부여를 해주는 강사

2. 스펙, 강사료 값어치를 하는 강사
지금까지 들었던 강사와 다른 내공, 가치, 값어
치가 다르게 느껴지는 강사

3. 실천할 수 있는
강의 사용 설명서를 주는 강사
강의 때 배운 것들 강의 끝난 후 활용할 수 있는
사용 설명서(도구)를 주는 강사

최보규 강사의 차별화 강의가 아닌 초월 강사

1. 가성비 강사가 되기 위해 강사 15년간 2,000권 독서 / 7,000개 메모 / 자기계발서 100권 출간을 통한 메시지, 스토리텔링 강의.

2. 학습자가 봤을 때 "이런 강의는 나도 하겠다."라는 말을 듣지 않고 쓰리 값(나이값, 스펙값, 강사료값)어치를 하기 위해서 강사 11계 명 실천으로 80억 분의 1 검증된 전문가 다운 강의를 하는 강사.

3. 교육, 강의가 끝난 후에 생활 속에서 실천 동기부여를 할 수 있는 도구, 사용 설명서(강사 사비 제작)를 통해 변화, 성장할 수 있게 해주는 강사.

20,000명 심리 상담, 코칭을 통해 알게 된
일반인, 강사, 리더, CEO, 은퇴자, 프리랜서가 바라는 코칭 전문가

1. 가성비 코칭

변화, 성장, 자신 분야 연결을 통해 제2수입,
제3수입 까지 발생시킬 수 있는 코칭

2. 시간, 돈 낭비를 하지 않는 코칭

검증이 되지 않는 코칭에 속아 시간과 돈 낭비
를 줄여서 빠른 수입 창출 코칭

3. 코칭, PT 받은 후
A/S, 피드백, 관리를 해주는 코칭

혼자 스스로 할 수 있을 때까지, 자리 잡을 때까
지 멘토가 되어 주는 코칭

자기계발아마존   방탄자기계발   방탄자기계발사관학교   NAVER   최보규

1. 가성비 코칭을 해주기 위해서 자신 분야와 6가지 수입 창출하는 방법을 연결시킬 수 있는 기술력을 체계적으로 교육하는 코칭.

2. 특허청 등록: 제 40-2072344 호 [최보규 자기계발코칭 창시자] 매뉴얼, 시스템이 검증된 전문가로서 시간과 돈 낭비를 줄여주는 코칭.

3. 청출어람 사명감으로 150년 A/S, 피드백, 관리를 해준다는 우주 최강 책임감으로 멘토가 되어주는 코칭.

책150권 출간　상담 17,000회　코칭 13,000회　강의 경력 6,200회

Google 자기계발아마존　　YouTube 방탄자기계발　　NAVER 방탄자기계발사관학교　　NAVER　최보규

N 최보규

전체　프로필　최근활동　도서

프로필 →

소속　방탄자기계발사관학교/방탄북
　　　(BOOK)출판사(대표)

수상　**2016년 제1회 세계를 빛낸 천**
　　　사상 대상

경력　방탄자기계발사관학교/방탄북
　　　(BOOK)출판사 대표
　　　방탄자기계발사관학교 대표
　　　2012.05~2016.06 사랑의전화 전화상담 자원
　　　봉사자
　　　2014.11 행복사관학교 대표

사이트　유튜브, 블로그, 네이버TV, 페이스북, 공식홈페
　　　이지

작품 ★ 도서 108건, 관련활동

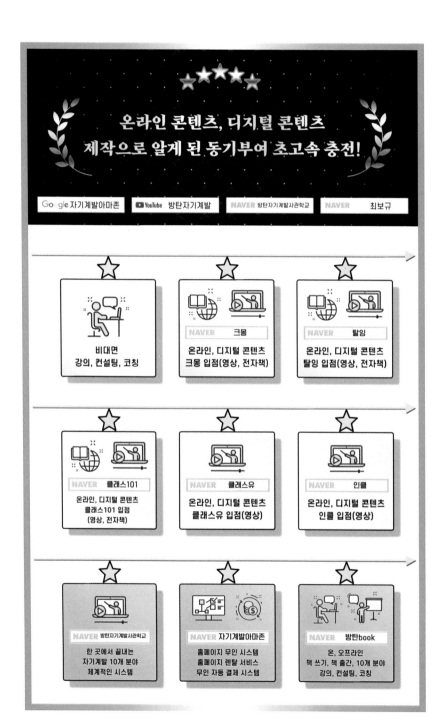

온라인 콘텐츠, 디지털 콘텐츠
제작으로 알게 된 동기부여 초고속 충전!

Google 자기계발아마존　YouTube 방탄자기계발　NAVER 방탄자기계발사관학교　NAVER 최보규

비대면
강의, 컨설팅, 코칭

NAVER 크몽
온라인, 디지털 콘텐츠
크몽 입점(영상, 전자책)

NAVER 탈잉
온라인, 디지털 콘텐츠
탈잉 입점(영상, 전자책)

NAVER 클래스101
온라인, 디지털 콘텐츠
클래스101 입점
(영상, 전자책)

NAVER 클래스유
온라인, 디지털 콘텐츠
클래스유 입점(영상)

NAVER 인클
온라인, 디지털 콘텐츠
인클 입점(영상)

NAVER 방탄자기계발사관학교
한 곳에서 끝내는
자기계발 10개 분야
체계적인 시스템

NAVER 자기계발아마존
홈페이지 무인 시스템
홈페이지 렌탈 서비스
무인 자동 결제 시스템

NAVER 방탄book
온, 오프라인
책 쓰기, 책 출간, 10개 분야
강의, 컨설팅, 코칭

온라인 콘텐츠, 디지털 콘텐츠
제작으로 50층 온라인 건물주
되어 알게 된 동기부여 초고속 충천!

| Google 자기계발아마존 | ▶ YouTube 방탄자기계발 | NAVER 방탄자기계발사관학교 | NAVER 최보규 |

온라인 플랫폼 디지털 플랫폼	온라인, 디지털 콘텐츠 수입 발생 (무인 시스템)	100년 월세, 연금 발생
자기계발아마존 1층 ~ 3층	온라인 건물주 되는 자격증 교육! 온라인 강사코칭전문가2급 온라인 자기계발코칭전문가2급 / 리더십코칭전문가2급 자존감, 멘탈, 습관, 행복, 사랑, 웃음, 강사, 책쓰기, 유튜버, 리더십 10개 분야 코칭 / 영상 / 전자책	자격증, 재교육, 강사섭외 코칭, 종이책 전자책 수입 발생
클래스유 4층	자신 분야 삼성(진정성, 전문성, 신뢰성)을 높여 제2수입, 3수입 올리는 방탄자기계발 재태크 / 영상	영상, 자격증, 강사섭외, 코칭 종이책, 전자책 수입 발생
클래스101 5층 ~ 15층	강사 분야, 사랑 분야, 습관 분야, 자존감 분야 행복 분야, 자기계발 분야 영상 원포인트 클래스 / 전자책	영상, 강사섭외, 코칭 종이책, 전자책 수입 발생
크몽 16층 ~ 22층	강사 분야, 사랑 분야, 습관 분야 자존감 분야, 행복 분야, 자기계발 분야 영상 / 코칭 / 전자책	영상, 자격증, 강사섭외, 코칭 종이책, 전자책 수입 발생
탈잉 23층 ~ 25층	자존감 분야, 습관 분야, 행복 분야 영상 / 전자책	강사섭외, 코칭 종이책, 전자책 수입 발생
인클 26층	4차 산업시대는 4차 자기계발인 방탄자기계발 재태크 / 영상	영상, 자격증, 강사섭외, 코칭 종이책, 전자책 수입 발생
온라인 서점 디지털 서점 27층 ~ 50층	출간 한 39권 자기계발서 종이책 , 전자책	검증된 전문가 강사료 10배 상승

대한민국 99%가 책 쓰기, 출간하는 방법만 교육, 코칭 한다!
6가지 수입 창출 책 쓰기, 출간 기술력을 교육, 코칭 하는 곳은 방탄book뿐이다.

방법만 배우면 돈이 계속 나가지만 방탄book기술력을 배우면 돈은 계속 들어온다.

최보규 대표

상담, 코칭, 강의, 컨설팅 문의
010-6578-8295

현] 방탄자기계발사관학교 대표
현] 강사야 대표강사
현] 자기계발아마존 CEO
현] 방탄book 출판사 대표
현] 방탄강사사관학교 코칭전문가
현] 사랑의전화 카운슬러
현] 방탄자기계발 유튜버
현] 최보규상(대한민국 노벨상)창시자

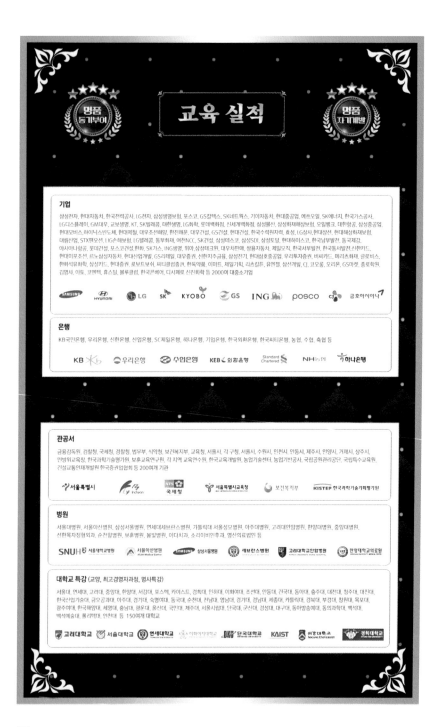

교육 실적

기업

삼성전자, 현대자동차, 한국전력공사, LG전자, 삼성생명보험, 포스코, GS칼텍스, SK네트웍스, 기아자동차, 현대중공업, 에쓰오일, SK에너지, 한국가스공사, LG디스플레이, GM대우, 교보생명, KT, SK텔레콤, 대한생명, LG화학, 롯데백화점, 신세계백화점, 삼성물산, 삼성화재해상보험, 오일뱅크, 대한항공, 삼성중공업, 현대모비스, 하이닉스반도체, 현대제철, 대우조선해양, 한진해운, 대우건설, GS건설, 현대건설, 한국수력원자력, 효성, LG상사, 현대상선, 현대해상화재보험, 대림산업, STX팬오션, LG순해보험, LG텔레콤, 동부화재, 여천NCC, SK건설, 삼성SDI, 삼성토탈, 현대하이스코, 한국남부발전, 동국제강, 아시아나항공, 롯데건설, 포스코건설, 한화, SK가스, ING생명, 웅아, 삼성테크윈, 대우차판매, 쌍용자동차, 제일모직, 한국서부발전, 한국동서발전신한카드, 현대미포조선, 르노삼성자동차, 현대산업개발, GS리테일, 대우증권, 신한지주금융, 삼성전기, 현대삼호중공업, 우리투자증권, 비씨카드, 메리츠화재, 글로비스, 한화석유화학, 삼성카드, 현대증권, 로보트보쉬, 피티클레증권, 한독약품, 이마트, 제일기획, 리츠칼튼, 유겐텍, 삼성개발, CJ, 코오롱, 오리온, GS마켓, 홈로회원, 김앤사, 아토, 코엔텍, 휴스틸, 블루클린, 한국콘베어, 디시페로 신진화학 등 2000여 대중소기업

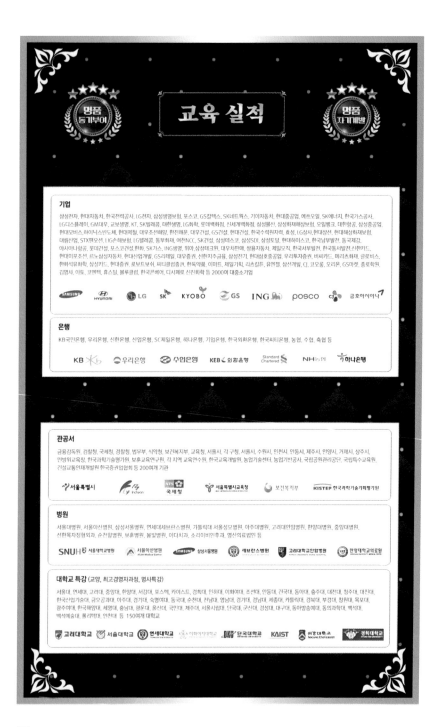

은행

KB국민은행, 우리은행, 신한은행, 산업은행, SC제일은행, 하나은행, 기업은행, 한국외환은행, 한국씨티은행, 농협, 수협, 축협 등

관공서

금융감독원, 검찰청, 국세청, 경찰청, 법무부, 식약청, 보건복지부, 교육청, 서울시, 각 구청, 서울시, 수원시, 인천시, 안동시, 제주시, 안양시, 거제시, 상주시, 민방위교육청, 한국과학기술평가원, 보훈교육연구원, 각 지역 교육연수원, 한국교육개발원, 농업기술센터, 농업기반공사, 국립공원관리공단, 국립특수교육원, 건설교통안전개발원 한국증권업협회 등 200여개 기관

병원

서울대병원, 서울아산병원, 삼성서울병원, 연세대세브란스병원, 가톨릭대 서울성모병원, 아주대병원, 고려대안암병원, 한양대병원, 중앙대병원, 선한목자정형외과, 순천향병원, 보훈병원, 봄빛병원, 이다치과, 소리이비인후과, 영신의료법인 등

대학교 특강 (교양, 최고경영자과정, 명사특강)

서울대, 연세대, 고려대, 중앙대, 한양대, 서강대, 포스텍, 카이스트, 경희대, 인하대, 이화여대, 조선대, 안동대, 건국대, 동아대, 충주대, 대전대, 청주대, 대진대, 한국산업기술대, 금오공과대, 아주대, 경기대, 숙명여대, 동국대, 순천대, 전남대, 영남대, 강가대, 강남대, 세종대, 카톨릭대, 강릉대, 부경대, 창원대, 목포대, 광주여대, 한국해양대, 세명대, 충남대, 광운대, 울산대, 국민대, 제주대, 서울시립대, 단국대, 구리대, 경성대, 대구대, 동아방송대, 동의과학대, 백석대, 백석예술대, 폴리텍대, 인천대 등 150여개 대학교

강의 사진

600명 자자자자멘습긍 강의
(자존감, 자신감, 자기관리, 자기계발, 멘탈, 습관, 긍정)

500명 자자자자멘습긍 강의
(자존감, 자신감, 자기관리, 자기계발, 멘탈, 습관, 긍정)

최보규 방탄강사 창시자

저는 입으로 강의하지 않겠습니다.
제 삶으로 강의하겠습니다.
저는 가르치지 않겠습니다.
제 삶으로 가르치겠습니다.
최보규강사는 명강사, 스타강사가 아닙니다!
그래서 한 달에 15권 책을 보고 메모하며
강의 준비, 솔선수범 하고 있습니다!
최보규강사 보다 강의 잘하는 사람은 많습니다!
다만 최보규강사 만큼 학습자를
사랑하는 강사는 세상에 없을 것입니다!

최보규 방탄동기부여 신조

들어라 하지 말고 듣게 하자.
누구처럼 살지 말고 나답게 살자.
좋아하게 하지 말고 좋아지게 하자.
마음을 얻으려 하지 말고 마음을 열게 하자.
믿으라 말하지 말고 믿을 수 있는 사람이 되자.
좋은 사람을 기다리지 말고 좋은 사람이 되어주자.
보여주는(인기) 인생을 사는 것이 아닌
보여지는(인정) 인생을 살아가자.
나 이런 사람이야 말하지 않아도
이런 사람이구나 몸, 머리, 마음으로 느끼게 하자.

경력은 실력이 아닙니다! 최보규 강사는 경력만으로 강의하지 않습니다!
책을 읽고 메모하며 책을 출간 했다고 강의 내공이 좋은 건 아닙니다!
하지만 책 2,032권, 메모 7,626개, 습관 320가지, 책 100권 출간 내공으로
강의하는 강사에 강의 내공은 단언컨대 "세계 최고"일 것입니다!

15년 2,032권 읽음

15년 7,626개 메모

자기계발서 100권 출간

45년 방탄 습관 320가지

최보규 강사 11계명

1. 학습자에게 섬김을 받으려는 강의가 아닌 학습자를 섬길 수 있는 강의를 하겠습니다.
2. 오늘이 마지막 날인 것처럼 강의하고 영원히 살 것처럼 학습자에게 배우겠습니다.
3. 강의 있는 전날에는 최상의 컨디션을 유지 하기 위해 건강관리, 목 관리, 자기관리 하겠습니다.
4. 강의장 1시간 전에 도착해서 강의 마음가짐 준비하겠습니다.
5. 강의장 가장 먼저 도착 강의 끝난 후 가장 늦게 나오겠습니다.
6. 내 삶이 강의고 강의가 내 삶이 되도록 행동하겠습니다.
7. 힘들게 배운 강의 노하우들 아낌없이 주겠습니다.
8. 어떻게 하면 학습자에게 즐거움? 행복? 메시지? 감동? 희망? 사랑?을 줄 것인가에 항상 생각 하며 공부하겠습니다.
9. TV보다 책을 더 보겠습니다. 10. 공인이라는 마음으로 솔선수범하겠습니다.
11. 강사의 자존심 아침에 나올 때 신발장에 넣고 나오겠습니다.

방탄강사 백신

★ 잘난 강사가 되지 않고 진실한 강사가 되겠습니다! 잘난 강사는 피하고 싶어지지만 진실한 강사는 곁에 두고 싶어집니다!

★ 대단한 강사가 되지 않고 좋은 강사가 되겠습니다! 대단한 강사는 부담을 주지만 좋은 강사는 행복을 줍니다

★ 멋진 강사가 되지 않고 따뜻한 강사가 되겠습니다! 멋진 강사는 눈을 즐겁게 하지만 따뜻한 강사는 마음을 데워 줍니다.

★ 유명한 강사가 되지 않고 필요한 강사가 되겠습니다! 유명한 강사는 환상을 주지만 필요한 강사는 배움, 성장, 지혜를 줍니다.

43

44

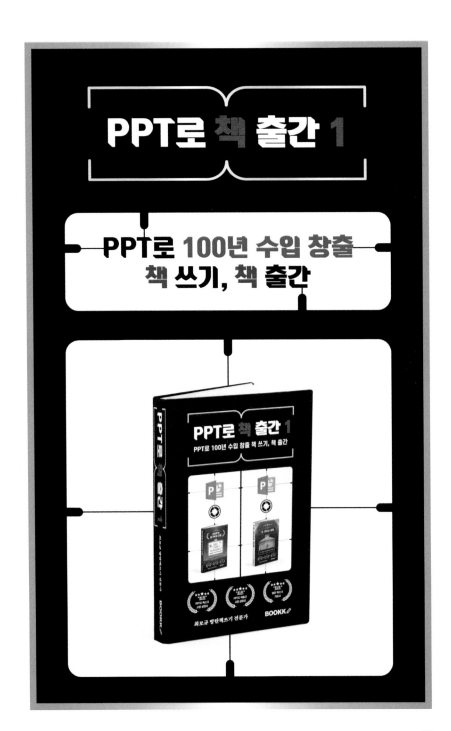

1장. 책 쓰기, 책 출간 본질

누구나 자신 분야 전문가가 되고 싶어 한다. 짝퉁 전문가는 매뉴얼, 시스템이 머리에만 있어 말로만 한다.

진짜(명품) 전문가는 <u>매뉴얼, 시스템이 자료화(전문 서적) 되어 있다.</u> 경력은 스펙이 아니다. 경력을 자료화(책 출간) 할 때 강력한 스펙이 된다!

★ 책 쓰기, 책 출간 본질을 모르면 책 쓸 시각이 없고 시간, 돈 낭비만 한다!

인간이 하는 모든 것의 본질을 알아야만 노오력이 아니라 올바른 노력을 할 수 있다. 노력은 경험만 채우고 시간만 때우는 것이다. 지금 시대는 노력이 배신하는 시대다.

올바른 노력은 어제보다 0.1% 다르게, 변화, 나음, 성장하는 것이다.

책 쓰기, 책 출간 본질을 알아야 노오력이 아닌 올바른
노력을 할 수 있다.

운동의 본질은 헬스, 운동의 기본기를 배우지 않는 사람
이 좋은 헬스장으로 옮긴다고 헬스, 운동 습관이 만들어
지는 것이 아니다.

직장의 본질은 월급 날짜만 기다리는 사람이 직장을 바
꾼다고 일에 대한 의욕이 생기지 않는다.

사랑의 본질은 평상시에 사랑받을 행동을 안 하는 사람
은 사랑하는 사람이 생겨도 사랑받을 수가 없다.

인간관계의 본질은 내가 좋은 사람이 되기 위해 학습,

연습, 훈련을 안 하면 좋은 사람이 생겨도 금방 떠나간다.

자기계발, 동기부여의 본질은 "어제 보다 0.1% 나은 사람이 되자."라는 태도로 꾸준히 자기계발, 동기부여하지 않으면 시간, 돈 낭비를 한다.

리더십의 본질은 경력, 나이를 내세우면서 시대에 맞는 리더십으로 업데이트하지 않으면 리더십이 아닌 꼰대십(리더병)이 나온다. 꼰대십(리더병)이 생기면 "위치가 사람을 만드는 것이 아니라 위치가 사람을 망쳐버린다."

책 쓰기, 책 출간의 본질은 평상시 독서를 하지 않은 사람은 책 가치, 내공, 값어치가 나오지 않는다. 독서와 책 가치, 내공, 값어치는 비례한다.

오로지 베스트셀러(돈)가 되기 위해 집착하는 책 쓰기, 출간이 아닌 자신을 알고 있는 가족, 친구, 지인들이 읽었을 때 "유명한 책들 보다 읽었던 책 중에 베스트르다." 라고 인정받는 책 쓰기, 책 출간을 해야 한다.

본질의 힘

본질을 모르면 시간, 돈, 인생 낭비가 되어 악순환이 반복된다.

헬스, 운동의 본질

직장, 일의 본질

연애, 사랑의 본질

인간관계의 본질

자기계발, 동기부여의 본질

리더십의 본질

책 쓰기, 책 출간의 본질

대한민국 99%가 책 쓰기, 출간하는 방법만
교육, 코칭 한다!
6가지 수입 창출 책 쓰기, 출간 기술력을
교육, 코칭 하는 곳은 방탄book뿐이다.

방법만 배우면 평생
몸을 움직여서 돈을 벌어야 하지만
방탄book기술력을 배우면 움직이지
않아도 돈을 벌수 있는 자동 시스템을 만든다.

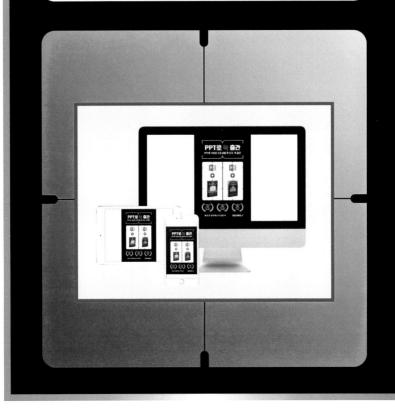

★ 자신 분야 삼성(진정성, 전문성, 신뢰성)을 올리는 최고의 자기계발은 책 쓰기, 책 출간이다!

세상에는 두 가지 종류에 지식이 있다. "아는데요!" 설명을 못하는 지식과 설명을 할 수 있는 지식이 있다. 진짜 지식은 설명까지 할 수 있어야 한다.

설명에서 한 차원 더 높은 것은 누구나 읽어볼 수 있게 정리를 해서 쓰는 것이고 책을 출간하면 진짜 전문가가 되는 것이다. 그래서 자신 분야 전문 책이 있는 사람과 자신 분야 전문 책이 없는 전문가는 개미와 코끼리 차이다.

진짜 전문가가 되고 싶다면 설명할 수 있는 건 당연한 것이고 나를 똑같이 닮은 인재를 복제를 할 수는 없겠지만 복제가 가능한 매뉴얼, 시스템을 만들어 책으로 출간한다면 진정한 자신 분야 전문가가 되는 것이고 자부심, 사명감이 생긴다.

자신 분야 삼성(진정성, 전문성, 신뢰성)을 올리는 최고의 자기계발은 책 쓰기, 책 출간이다. 경력은 스펙이 아니지만 책을 쓰면 강력한 스펙이 된다.

지금은 경력이 10년, 20년, 30년... 경력만 있는 사람을 전문가라 말하지 않는다. 그런 전문가들은 천지빼까리(국어사전: 너무 많아서 그 수를 다 헤아릴 수 없을 때 쓰는 말)이다.

경력을 무시하는 게 아니다. 전문가의 본질을 말하는 것이다. 경력으로만 전문가라 말하는 시대는 끝났다. 지금 시대는 가짜 전문가가 너무 많기에 자신 분야 전문 책이 있어야 전문가라고 말을 할 수 있다.

경력만 있는 사람들 특징은 머리에만 노하우가 많다. 머리에 있는 노하우를 책으로 출간한다면 진짜 전문가가 되는 것이다. 자신 분야를 정리를 해서 말만 하는 사람과 정리해서 책을 출간한 사람 중에 어떤 사람이 더 진

전문가라고 말을 하려면 증명할 수 있는 자료, 책이 있어야 한다. 전문 분야가 있다면 무조건 책을 써야 하고 책 출간을 해야 하는 건 아니다. 한번 생각해 보라! 전문 서적이 있는 전문가와 전문 서적이 없는 전문가를 봤을 때 어떤 사람을 진짜 전문가라고 인정하겠는가?

"이 전문가는 다른 전문가와 별 차이 없네."라고 느낌을 주면 전문가의 믿음, 신뢰, 비전을 느끼지 못한다. "이 전문가는 다른 전문가와 다르다"라는 것을 보여 줄 때 전문가의 믿음, 신뢰, 비전이 보이는 것이다.

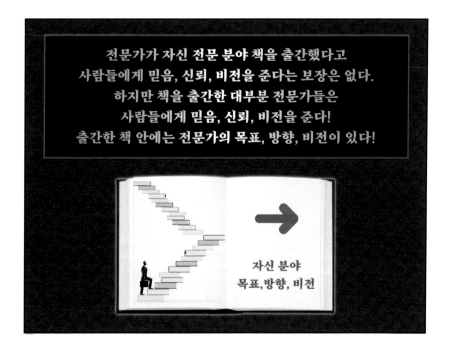

전문가가 자신 전문 분야 책을 출간했다고
사람들에게 믿음, 신뢰, 비전을 준다는 보장은 없다.
하지만 책을 출간한 대부분 전문가들은
사람들에게 믿음, 신뢰, 비전을 준다!
출간한 책 안에는 전문가의 목표, 방향, 비전이 있다!

자신 분야
목표, 방향, 비전

전문가도 같은 전문가가 아니다. 경력만 있는 전문가가 있는 반면 검증받은 전문 분야가 있는 전문가가 있다. 경력이 같은 전문가가 있다고 가정했을 때 스피치, 표정, 행동으로 어떤 전문가가 더 내공이 느껴지는지 알 수도 있지만 표면적으로 증명할 수 있는 스펙이 있어야만 대중들은 인정을 한다는 것이다.

지금 시대는 학위보다 더 인정받는 것이 자신 분야 전문 서적이다. 이제는 경력만 쌓으면 안 된다. 경력을 표면적으로 증명할 수 있는 강력한 플랫폼인 전문 서적을 출간해야 한다.

책 쓰기, 책 출간과 직접적으로 연결되어 있는 직업이
강사 직업이다. 그래서 전문서적이 없는 강사와 전문서
적이 있는 강사를 비교해 주겠다. 자신 분야와 접목을
해서 본다면 도움이 될 것이다.

강사 경력 15년 차인 A라는 강사는 강의 경력 15년이
전부다. 표면적으로 보여 줄 수 있는 스펙은 강의했던
업체명 밖에 없다. 그 강사를 무시하는 게 아니다. 현실
을 직시해 보자는 것이다.

강사 경력 15년 차인 B라는 강사는 강사를 양성하는 강
사 백과사전 2권 출간 외 자기계발 책 100권을 출간했
다.

어떤 강사가 더 전문가라고 느껴지는가? 누구한테 물어
보더라도 자신 분야 전문 책이 있는 사람을 전문가라고
할 것이다.

지금 시대는 석사, 박사 학위만큼 인정해 주는 것이 자
신 분야 전문 분야 책이다. 책을 출간한다고 전문가가

되진 않는다. 하지만 전문가들은 자신 분야 책이 3~4권이 있다. 그래서 자신 분야 전문가라고 말을 하려면 자신 분야 책을 쓰고 출간하기 위해서 집중해야 한다.

경력은 스펙이 아니다!
경력만 있는 사람을 전문가라고 하지 않는다!

강사 경력 15년 차
전문 분야가 있지만
표면적으로
증명할 수 있는 것이 없다!

코칭 경력 15년 차
전문 분야 책 100권 출간
★ 특허청 등록 ★
제40-2072344호
최보규 자기계발코칭 창시자
제40-2128786호
최보규 리더동기부여 코칭전문가

강사 경력 15년 차

경력만 있다.

20,000명 심리 상담, 코칭으로
알게 된 사람들이 바라는 6가지 시스템!

1 커피숍에서 지인과 대화 중에도 돈이 입금되는 시스템?

2 자고 있는데 돈을 버는 시스템?

3 여행 중에도 돈이 입금되는 시스템?

4 사무실, 직원이 필요 없는 시스템?

5 건물주처럼 월세가 입금되는 시스템?

6 집에서 댕댕이와 휴식하고 있는데 돈이 입금되는 시스템?

세계 최초! 출판계의 혁신!
돈이 들어오는 6가지 시스템을
가능하게 하는 것이

방탄book기술력!

평균 희망 은퇴 73세, 현실 은퇴 나이 49세!
100세 시대 언제까지 몸(노동)으로만
일해서 돈을 벌 것인가?

세상, 현실 기준에서 스펙, 돈, 인맥, 자산 등이 없어서 100세까지 노동을 해야 되고 몸까지 아프면 더 답이 없는 상황! 젊을 때는 100가지 중 99가지를 할 수 있지만 나이 들면 100가지 중 99가지를 할 수 없다. 3고 시대, AI 시대, 챗 GPT 시대에 자신의 직업이 사라 질 수 있는 상황에서 어떻게 준비, 대비할 것인가?

 방탄BOOK기술력
선택이 아닌 필수!

세계 최초
방탄
BOOK
기술력

| Google 자기계발아마존 | ▶YouTube 방탄자기계발 | NAVER 방탄BOOK | NAVER 최보규 |

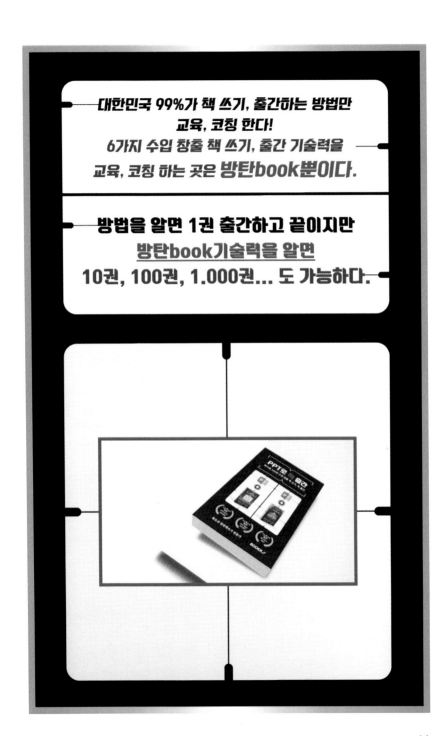

대한민국 99%가 책 쓰기, 출간하는 방법만
교육, 코칭 한다!
6가지 수입 창출 책 쓰기, 출간 기술력을
교육, 코칭 하는 곳은 방탄book뿐이다.

방법을 알면 1권 출간하고 끝이지만
방탄book기술력을 알면
10권, 100권, 1.000권... 도 가능하다.

10년 전보다 책 쓰는 환경이 너무나도 좋아졌다. 일반 인들이 봤을 때는 책 쓰는 문턱이 너무나도 높아 보이 지만 필자가 100권을 출간하면서 알게 된 것은 문턱이 그렇게 높지 않다는 것을 알게 되었다. 속된 말로 강사 는 개나, 소나, 고양이나 하듯 책 출간도 개나, 소나, 닭 이나 한다. "이 정도 내용의 책은 나도 쓰겠다. 책 값어 치를 못한다."라고 느끼는 책들이 많아졌다.

오해하지 말고 들었으면 한다! 책 출간을 한 권도 안 한 사람들, 책을 대충 쓴 사람들을 무시하는 게 아니다. 냉 정하게 현실을 직시해 보자는 것이고 책 쓰기, 책 출간 환경을 알아야만 자신 책을 제대로 쓸 수가 있는 것이 다. 어떤 분야든 마찬가지이다. 자신이 하고 있는 분야 환경, 흐름, 트랜드를 알아야만 대처를 할 수 있고 변화, 준비를 해서 살아남을 수 있는 것이다.

보통 사람이 트랜드를 모르면 큰 문제가 되지 않지만
전문가가 자신 분야 트랜드를 모르면
큰 문제인 짝퉁 취급을 받는다.

2024 2025 2026
2027 2028 2029
2030 2031 2032

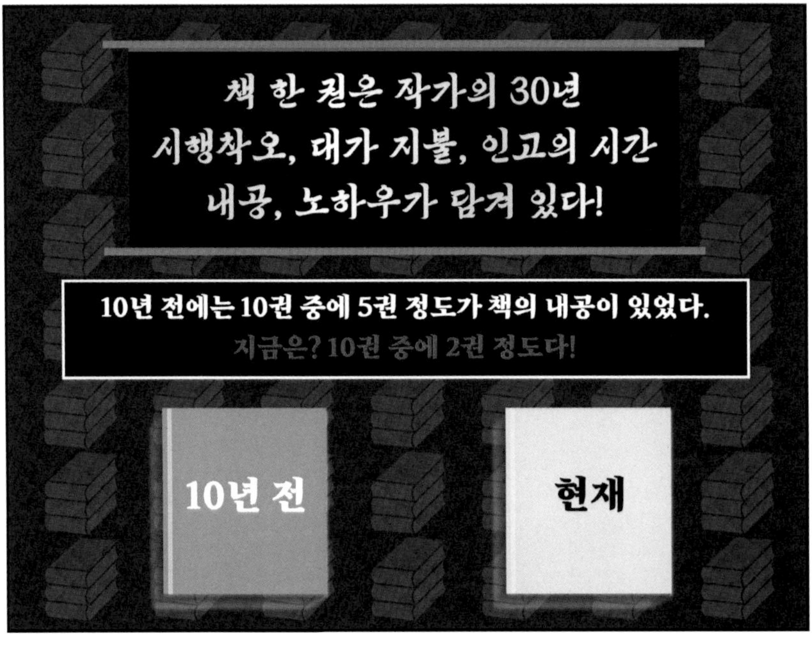

책 한 권은 작가의 30년
시행착오, 대가 지불, 인고의 시간
내공, 노하우가 담겨 있다!

10년 전에는 10권 중에 5권 정도가 책의 내공이 있었다.
지금은? 10권 중에 2권 정도다!

10년 전

현재

"한 권의 책은 그 사람의 30년 시행착오, 대가 지불, 인고의 시간, 내공이 들어있어서 한 권으로 배우는 것이다."라는 말을 들어봤을 것이다.

10년 전에는 이 말에 맞게 10권 중에 5권 정도는 내공이 담겨 있었다. 지금은 10권 중에 1권~2권 정도만 내공이 담겨 있다.

왜 그럴까?
대충 책 쓰기 교육, 코칭 하는 사람이 많아지다 보니 대충 쓰는 사람이 많아졌다는 것이다.

책 출간과 책 쓰기가 자신 분야 자기계발 하는데 최고지만 버킷리스트여서 책을 쓰고 싶다? 팔 목적이 아니다, 돈 벌 목적이 아니다, 소장하기 위해서 책 쓰고 싶다? 내 이름 그냥 석 자 남기고 싶어서 책 쓰고 싶다? 이런 목표로 책을 쓰고 출간하는 사람들이 많다. 이런 사람들을 잘못됐다고 말하는 게 아니다. 오해하지 말고 듣길 바란다!

20,000명 심리 상담, 코칭 하면서 알게 된 것은 대부분
사람들이 내책 없이, 계획 없이, 의미 없이 책을 써서
100%, 200%, 300% 후회를 한다는 것이다. 후회 안 하
는 사람이 없는 건 아니지만 대부분 사람들은 처음에는
가벼운 마음으로 책을 출간했는데 출간한 책으로 6가지
수입을 발생시킬 수 있는 방법(방탄book기술력)을 코칭
받고 나서는 땅을 치고 후회를 한다는 것이다.

필자에게 코칭 받는 사람들 100%가 이런 말을 했다.
"다 필요 없이 책 한 권 출간하면 좋겠다. 이런 마음으
로 책을 쓰기 위해 검증 안 된 전문가에게 교육, 코칭을

받고 책을 출간했는데... 책 출간 3개월 후 라면 받침대 되어버리는 상황... 처음부터 6가지 수입을 발생시킬 수 있는 방탄book기술력을 교육, 코칭 받았다면 돈, 시간 낭비를 줄일 수 있었을 텐데 뒤늦게 알게 돼서 너무 후회가 됩니다."라는 하소연을 하는 분들에게 늘 하는 말이 있다.

"안 좋은 경험을 했기에 6가지 수입을 발생시킬 수 있는 방법(방탄book기술력)이 좋다는 것을 뒤늦게나마 깨닫을 수 있었던 것입니다. '더 늦기 전에 지금이라도 만나서 다행이다.'라고 생각하시면 됩니다."

책은 누구나 쓸 수 있지만 아무나 쓸 수 없다는 말이 있다. 아무나 쓸 수 없다는 말이 무슨 말일까?

어떤 의미부여, 목표, 방향으로 쓰느냐에 따라서 아무나 '쓰냐! 아무나 못 쓰냐!' 로 나누어진다.

인생도 어떤 의미, 목표, 방향에 따라 삶의 질이 완전히 달라지듯이 책 쓰기도 마찬가지라는 것이다.

의미부여, 목표, 방향 없이 산다고 삶의 질이 안 좋아지는 건 아니다. 단언컨대 삶의 질, 인생의 질, 행복의 질이 좋은 사람은 90%는 인생 의미, 목표, 방향이 있다는 것이다. 책 쓰기도 의미부여, 목표, 방향이 중요하다고 강조하는 것이다. 특히 전문 분야가 있는 전문가의 책 쓰기, 책 출간 자기개발은 의미부여, 목표, 방향이 분명해야 한다. 전문가가 쓴 책을 보고 대중들은 믿음, 신뢰, 비전, 방향을 느끼기 때문이다.

목표, 방향이 그 무엇보다 중요하다고 알려주는 하버드 대학교에서 연구한 스토리텔링이다.

얼마나 오래 할 거니?
심리학자 맥퍼슨은 악기를 연습 중인 어린이 157명을 추적해 보았다. 9개월쯤 후부터 아이들의 실력이 크게 벌어졌다.
"거참 이상하네, 연습량도 똑같고 다른 조건도 다 비슷한데 도대체 왜 차이가 벌어지는 걸까?"
그는 문득 연습을 시작하기 전 아이들에게 던졌던 질문을 떠올렸다.
"넌 음악을 얼마나 오래 할 거니?"
아이들의 대답은 크게 세 가지였다.
"전 1년만 하다가 그만둘 거예요."
"전 고등학교 졸업할 때까지만 할 거예요."
"전 평생 하며 살 거예요"
아이들의 실력을 비교해 보고 깜짝 놀랐다. 평생 연주할 거라는 아이들의 수준이 1년만 하고 그만둘 거라는 아이들보다 훨씬 높았기 때문이었다.

똑같은 기간 동안 연습을 했는데도 말이다.

《왓칭》

목표, 방향, 의미부여가 없이 잘하는 사람도 있긴 있다. 하지만 그 사람들은 극히 0.1%로 극히 드물다는 것이다. 자신은 목표, 방향, 의미부여 없이도 가능한 사람인지 있어야 되는 사람인지는 시도를 해보고 나다운 방식을 만들면 된다. 하지만 대부분 실력이 향상되고 결과를 내는 사람들 특징은 목표, 방향, 의미부여가 처음부터 잘 되었다는 것이다.

책 쓰기, 인생, 세상이라는 바다에서
의미부여, 목표, 방향이 없으면
순풍은 불지 않는다!

책 쓰기, 책 출간을 처음부터 "그냥 그냥 내 이름 석 자 남기는 거야! 버킷리스트여서 대충 한 권 출간하고 말거예요! 그냥 소장하기 위해서 쓰는 거예요! 베스트셀러 필요 없어요! 그냥 내 만족이에요!" 이런 의도로 책을 쓴다는 게 잘못됐다고 말하는 게 아니다. 다시 한 번 말하지만 오해하지 말고 들었으면 한다!

그런 마음으로 책 쓴 사람들이 책 출간을 하고 나서 제2수입, 제3수입을 연결하려고 코칭을 받은 후에 후회를 하기 때문에 강조하면서 말을 하는 것이다.

대충 자기만족으로 그냥 썼는데 책 내공, 책 가치, 책이 주는 메시지가 있겠는가? 누가 보겠는가? 보더라도 책 값어치를 못해서 욕한다는 것이다. 그래서 어떤 일을 시작할 때, 책을 쓸 때, 책을 출간하고 나서 자신 분야와 연결할 수 있는 고리를 생각하고 책 쓰기, 책 출간을 해야 한다.

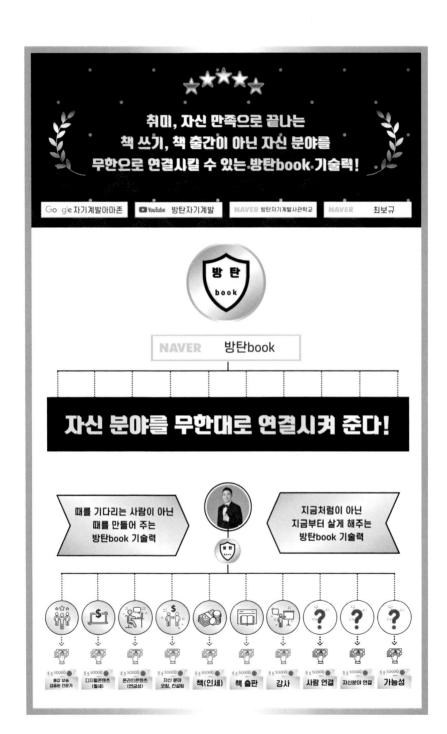

누군가는 운전면허증을 취득하려는 의미부여, 목표, 방향이 남들 다 운전면허증이 있으니 별 의미부여, 목표, 방향 없이 운전면허증을 취득하려고 한다.

누군가는 운전면허증을 취득하려는 의미부여, 목표, 방향이 가족을 부양하기 위해서 직업을 하기 위해서 먹고 살기 위해서 의미부여, 목표, 방향 설정 후 간절하게 취득하려고 하는 사람도 있다.

1차원적으로 단순하게 보면 어떤 사람이 운전면허증을 대하는 태도가 좋을까? 누구에게 물어보더라도 후자일 것이다.

그 어떤 것이든 시작할 때 의미부여, 목표, 방향이 있느냐, 없느냐에 따라서 태도가 580도 달라진다.

"시작하고 생각해라! 행동하고 의미부여, 목표, 방향 만들어라!" 이 말을 들으면 어떤가? 의미부여, 목표, 방향이 중요한 게 아니라 일단 시작하는 게 중요한 거구나? 이렇게 느껴지는가?

의미부여, 목표, 방향을 0.1%도 생각 안 하고 일단 시작해야 되는 상황이 있고 의미부여, 목표, 방향을 30% 정도 준비해서 시작해야 되는 상황이 있는 것이다. 책 쓰기는 특히 30% 의미부여, 목표, 방향을 실정하고 시작해야 한다.

운전면허증을 취득하기 위해서 독학을 하거나 운전면허 학원에 등록한다. 필기를 먼저 합격해야 되기 때문에 운전면허 문제집을 먼저 산다. 한마디로 운전면허증을 따려면 가장 먼저 필기시험공부를 해야 하듯이 책 쓰기에 첫 번째로 해야 할 것은 대한민국 5가지 책 출판 개념의 장, 단점을 알고 전략적으로 책을 써야 한다.

2장. 출판사 선택
(5가지 출판 장, 단점)

부모로 인해서 자신이 세상에 태어낳듯이 5가지 출판 개념을 알아야 책 태교가 잘 되어 명품 책이 만들어진다.

5가지 출판 [기획출판, 공동 기획출판, 자비출판, 대필 출판, 독립(개인)출판] 장, 단점을 알아야만 책 쓰기, 책 출간 목표, 방향, 비전이 만들어져서 3대까지 가는 책을 출간할 수 있다.

★ 기획출판, 공동 기획출판, 자비 출판, 대필 출판, 독립(개인)출판 장, 단점을 모르면 책 쓸 자격이 없다!

기획출판, 공동 기획출판, 자비 출판, 대필 출판, 독립(개인)출판의 원고, 기간, 인세, 비용, 출판부수, 장단점을 파악해야만 자신 책 쓰기, 책 출간 목표, 방향이 잡혀서 책 쓰기, 책 출간에 날개를 달게 된다.

대한민국 5가지 책 출판 개념의 장, 단점을 알고 전략적으로 책을 써야 한다.

세부사항	기획출판	공동 기획출판	자비출판	대필출판	독립(개인)출판
원고	?	?	?	?	?
기간	?	?	?	?	?
인세	?	?	?	?	?
비용	?	?	?	?	?
출판부수	?	?	?	?	?
장단점	???	???	???	???	???

표를 보면 이런 생각이 들 것이다.

"왜 표가 빈칸이지? 5가지 출판 개념이 중요하다고 하면서 왜 알려주지 않는 거지? 자신 노하우라고 숨기는 건가?"라는 의문점이 들것이다.

20,000명 심리 상담, 코칭 하면서 알게 된 것은 표만 보고 혼자 판단해서 오해하는 사람들이 너무 많았기에 오픈하고 싶어도 오픈을 안 하는 것이다. 5가지 출판 장단점을 설명하는 데 기본 1시간이 필요한데 설명을 듣지 않고 1분~3분밖에 걸리지 않는 비교한 표만 보게 되면 수많은 상황가 각 밖에 안 되는 것이다. 어설프게 배우

먼 더 헷갈리기 때문에 배우지 않는 게 낫다는 것이다.

필자의 방탄책쓰기 사관학교에서는 책 쓰기, 책 출간 코칭만 하는 것이 아니다. 코칭 받은 사람이 누군가를 코칭을 할 수 있는 자격 조건이 생길 때까지 코칭을 하기 때문이다. 그래서 코칭 받을 때 제대로 배워야만 오해소지 없이 책 쓰기, 책 출간을 잘 할 수 있고 자신이 다시 누군가를 책 쓰기, 책 출간 코칭을 할 때 제대로 알려 줄 수 있기 때문이다.

그런데 안타깝게도 시중에 나온 책 쓰기 책(200권 읽음), 책 쓰기 영상(500개 시청)을 보면서 알게 된 것은 책 쓰기 교육, 코칭을 거꾸로 알려주니 거꾸로 하고 있는 사람들이 대부분이다.

운전면허증에서 필기시험을 통과해야 실기 시험을 볼 수 있는데 실기 시험에만 집착하게 만든다. 인고의 시간을 거쳐 나온 소중한 책들이 누군가에 냄비 받침대가 되어 라면 국물이 묻어서 쓰레기 취급받는 책이 많다. 안타깝게도 90%의 책들이 책 출간 후 3개월 지나면 냄비 받침대가 되어간다.

"그냥 그냥 대충 이름 석 자 남겨야겠다." 그냥 대충 쓰면 정성 들여 쓴 책이 결국 냄비 받침대가 되어버린다는 것을 명심하자!

책 쓰기 의미부여, 목표, 방향을 제대로 설정하고 전략적으로 출간을 한다면 자신 분야 삼성(진정성, 전문성, 신뢰성)을 올리고 돈을 벌 수 있는 콘텐츠까지 연결시킬 수 있다. 그러면 자신의 인생뿐만 아니라 많은 사람들에게 라면 받침대가 아닌 인생의 받침대, 디딤돌이 되어 줄 것이다.

평균적으로 저자는 독자가 자신의 책을 읽고 이런 감동을 받길 바랄 것이다. "우와! 책 내공이 느껴진다. 책 값 어치를 하는 책이다. 뻔한 내용, 누구나 아는 내용이 아니다. 어떻게 이런 생각을 할 수 있었을까? 작가의 인생 내공, 자신 분야 전문성이 느껴지는 책이다. 책 값 15,000원 주고 샀는데 1억 5,000만원 가치를 느끼게 하는 책이다. 베스트셀러 책은 아니지만 지금까지 1,000 권 본 책 중에 베스트1이다." 자신 분야 책 내공, 책 값 어치, 책 가치를 올리기 위해서는 가장 먼저 해야 할 것은 독서다. 독서가 자신 전문 분야 내공, 값어치, 가치를 높여 주고 자신 분야 책 쓰기 내공, 값어치, 가치를 높여 준다.

독서가 왜 중요한지를 알려 주는 스토리텔링이다. 지구상에 성공한 리더, 가장 돈 많은 리더들이 100명이라면 99명은 독서를 한다.

3배나 더 빨리 배우고 3배나 부자가 될 수 있다니 이게 무슨 사이비 같은 소리야 하기겠지만!
이 방법을 배우기 위해 일론 머스크, 빌 게이츠, 버락 오바마, 오프라 윈프리 등이 단 한 사람을 찾아갔다면!

믿으시겠습니까?

우리는 정보의 바다를 넘어 정보의 홍수 폭풍 속에서 살아갑니다.

특히 업무를 위해서 나 자기 개발을 위해 무언가를 '읽어야' 할 일이 정말 많죠. 다 읽을 수 있는 여유가 있다면 좋겠지만 바쁜 일상을 살다 보면 시간이 부족해 책에는 먼지만 쌓여가거나, 침대 맡에 몇 달씩 책이 방치되는 일이 생기고 합니다.

그런데 우리가 책을 읽는 속도를 2배, 3배 향상시킬 수 있다면 어떨까요? 지식을 더욱 빠른 속도로 배울 수 있고 일에 필요한 노하우 습득 속도를 높여 업무 효율을 극대화할 수 있을 것입니다.

개인 사업을 하거나 영상 제작, 글쓰기를 하더라도 필요한 정보를 탐색하는 속도가 3배 빨라진다면 그 경제적 효과도 3배라고 할 수 있겠죠.

더 강조하지 않더라도, '빨리 읽기'의 유익은 다들 쉽게 상상하실 수 있으실 겁니다.

3배나 더 빨리 배우고 3배나 부자가 될 수 있다니 '이게 무슨 사이비 소리야?' 하시겠지만 이 방법을 배우기 위해 일론 머스크, 빌 게이츠, 버락 오바마, 오프라 윈프리 등이 단 한 사람을 찾아갔다면? 믿으시겠습니까?

우리 학습 속도를 2~3배 향상시켜주는 방법, 지금부터 시작합니다.

짐 퀵은 포브스 선정 2021년 올해 책임 한국어명 '마지막 몰입'의 저자인 베스트셀러 작가이자, 강사 브레인코치입니다.

'기억력 향상', '두뇌 건강', '가속 학습' 등의 분야를 전문으로 하는 뇌 전문가죠. 그런데 흥미로운 점은, 이런 직퀵이 어릴 적 사고로 뇌를 크게 다쳤다는 것입니다.

"소방관들은 제겐 영웅이었죠. 그래서 꼭 그들이 보고 싶었습니다. 창가로 의자를 가져가서 위에 올라갔죠.

간신히 소방관들을 볼 수 있었고, 정말 기뻤습니다. 제가 인생에 없던 기쁨을 맛보고 있던 그 순간 누군가 제 의자를 잡았고, 저는 그게 누군지 보기 위해 뒤로 돌았습니다. 그 순간 저는 머리부터 떨어지며 라디에이터에 머리를 부딪쳤죠.

끊임없이 피가 흘러 사방 군데로 퍼졌습니다. 그 사고 이후로 부모님은 제가 이전과 같지 않다고 하셨어요.

더 큰 문제는 제가 그때 영어를 읽을 수도 없었다는 겁니다. 어느 날은 제 선생님이 저를 손가락으로 가리키며 다른 어른에게 말하더군요. 저 소년이 '뇌가 고장 난 아이'야" '뇌가 고장 난 아이'였던 짐 퀵이 어떻게 브레인 코치, 학습 전문가가 될 수 있었을까요? 긴 사연이 있지만, 이야기가 길어지니 그에게 큰 변화를 일으켰던 '두

영웅'에 대해서만 이야기하고 넘어가도록 하겠습니다.

첫 번째 영웅은 사실 '영웅들'인데요, 바로 엑스맨입니다. 글을 읽을 수 없었던 짐 퀵이 볼 수 있던 유일한 책은 만화책이었습니다.

미국은 특히 마블같은 히어로물 만화를 많이 보죠. 많고 많은 히어로들 중 짐 퀵의 마음을 사로잡은 영웅은 엑스맨 이었습니다.

가장 강하고 빠르지는 않지만, 소외된 자들, 돌연변이지만 악당들 물리치는 엑스맨들의 모습이 또래로부터 소외된 짐 퀵에게는 인상 깊게 느껴졌을 것 같습니다.

저녁마다 잠을 안 자고 이불 속에 숨어 플래시 라이트 비춰가며 책을 읽었다고 해요.

어쩌다 많이, 재밌게 읽었는지 원래 글을 읽을 줄 몰랐는데 이 만화를 보며 독학했다고 합니다.

'뇌가 고장 난 아이'가 처음으로 글을 있게 해준 영웅이 바로 엑스맨인 셈이죠.

두 번째 영웅은 아인슈타인입니다. 글을 읽게 된 이후로도 짐 퀵은 계속된 학습 장애로 인해 고통 받았다고 합니다. 책 한 권을 제대로 읽기가 어려웠고, 다 읽어도 내용이 전혀 머리에 남지 않은 것이죠. 어떻게든 극복해 보려고 정말 미친 듯이 공부를 했다고 합니다. 잠도 안 자고, 먹지도 않고 며칠 밤을 도서관에서 보내며 읽어야 할 책, 읽고 싶은 책, 엄청 쌓아놓고 미친 듯이 읽었습니다. 그런 피나는 노력을 통해 학습 장애를 '극복!' 했다는 행복한 이야기면 좋겠지만, 그렇게 무리하다 도서관에서 졸도하고 맙니다.

졸도하면서 계단에서 굴러떨어져 다시 한 번 머리를 다쳤고, 이틀 후에 병원에서 깨어났다고 합니다.

짐 퀵이 말하는 인생의 가장 어두웠던 시절입니다.

병상에서 깨어난 그에게 간호사 한 분이 차 한 잔을 가져다줍니다. 그 머그컵에는 아인슈타인의 사진과 함께 인용구 한마디가 적혀있었다고 합니다.

"문제를 유발한 것과 똑같은 수준의 생각으로는 절대 당신의 문제를 해결할 수 없다. 이 말은 제가 스스로에게 질문을 던지게 만들었습니다. 내 문제는 무엇일까?"

이 말에 큰 감명을 받은 짐 퀵은, 단순히 '열심히 해야겠다' 수준의 생각이 아니라, 보다 근본적인, 높은 수준의 물음을 던집니다. '내 본질적인 문제가 뭘까?'에 대해 고민하기 시작합니다.

즉, 느리게 배우는 것이 자신의 문제라고 정의하고, 빠르게 배우는 방법을 찾아다니기 시작합니다.

그러나 즉, 내용을 가르쳐주는 학교, 수업은 많아도 어떻게 해야 더 빨리, 더 많이 배우는지 가르쳐주는 곳은 없었고, 그때부터 퀵은 우리의 뇌는 어떻게 배우는지, 기억의 원리는 무엇인지 탐구하기 시작합니다.

그렇게 탐구를 거듭한 끝에 현재의 짐 퀵이 있는 것입니다. 사실 중간에 많은 이야기들이 더 있지만 가장 결정적인 사건만 소개해드렸습니다.

그럼 본론으로 들어가서 '어떻게' 읽기 속도를 두 세배 빠르게 할 수 있다는 걸까요?

지금부터 소개해 드리겠습니다.
첫째 '주변시를 활용하라'입니다.
짐 퀵이 말하는 주변 시란, 한눈에 보이는 문자나 단어의 범위를 뜻합니다.
즉, 내가 집중하고 있는 한 단어가 아닌, 그 단어 주변으로 보이는 여러 단어를 뜻하죠.
그 단어들을 한 번에 읽어내라고 짐 퀵은 말합니다.
우리는 보통 한 번에 한 단어에 집중해서 읽으라고 교육을 받아왔습니다.
그런데, 그건 처음 읽기를 배울 때, 즉 어휘를 많이 모를 때나 필요한 방법입니다.
이미 많은 어휘를 알고 특정 어휘와 주로 같이 사용되는 단어들이 어떤 것인지 않은 상황에서는 한 단어에만 집중하는 것은 오히려 우리의 독서 속도를 늦추는 역할을 합니다.

짐 퀵은 그의 저서에서 'report card' 라는 표현을 예시로 듭니다. '성적표'란 뜻이죠. 우리 뇌는 report card를 '성적표'라는 한 의미 단위로 처리합니다.

그런데 책을 읽을 때 한 단어에 집중하면, 'report' 'card' 이렇게 두 단어로 읽은 다음에 다시 아, 'report card' 이렇게 하나의 뜻으로 합치는 불필요한 과정을 거치면서 읽는 속도가 느려진다는 겁니다.

기억력이 정말 좋은 사람들이 정보의 부분 부분을 따로 외우는 게 아니라, 사진 찍듯이 이미지로 외운다는 말을 들어보셨을 겁니다. 같은 원리입니다.

특정 어휘는 주로 같이 쓰이는 단어들이 있습니다.

이 조합을 영어로 collocation이라고 합니다.

한국어 예시로 들면, 종가집 00하면 종가집 김치가 생각나고, 가재는 00하면 가재는 게 편이라는 말이 생각나듯, 굳이 꼼꼼하게 있지 않아도 바로 떠오르는 표현들은 한 단어 한 단어 천천히 읽을 필요가 없죠. 정말 한 단어 한 단어 모르는 어휘라 이해가 어려울 때는 어쩔 수 없지만, 그렇지 않을 때는, 이렇게 주변 시를 활용해 한 번에 여러 단어, 문장 단위로 보다 큰 의미 단위를 한 번에 이해하는 연습을 해보시기 바랍니다.

한 번에 문장 하나씩 눈으로 사진을 찍는다 생각하고 연습해 보시길 바랍니다. 굳이 단어 하나하나를 곱씹지 않아도 충분히 글에서 말하고자 하는 바를 이해하실 수 있습니다.

둘째, '속 발음'을 없애라입니다.
책을 읽을 때, 속으로 책을 소리 내어 읽기듯이 따라가며 읽으시진 않나요?
이게 바로 '속 발음'입니다. 이건 사실 어릴 적 교육의 결과입니다.
어릴 때 유치원이나 초등학교에서 책을 혼자서 발표하듯이 낭독하거나, 돌아가면서 한 줄씩 있는 교육 많이 하잖아요?
어릴 때는 학생들 주의 집중력이 오래가지 않으니 이 방법이 효과적이겠지만, 이 이후에 읽기 교육을 받은 적이 없으니 지금은 필요 없는 옛날 습관을 여전히 반복하고 있는 거죠. 그런데 앞서 말했듯이 우리가 있는 대부분의 단어는 우리가 아는 단어들입니다.
그런 단어들을 굳이 내적 소리를 내어가며 읽을 필요가 있을까요? 아니요. 그냥 눈으로 보면 되는 겁니다.
우리 뇌의 처리능력은 우리 생각보다 엄청납니다.
소리 내지 않아도, 한 글자씩 온 주의집중을 쏟지 않아도 충분히 읽고 있는 내용을 이해할 수 있습니다.

이 속 발음을 없애기 위해서 짐 퀵이 제안하는 방식은 '숫자 세며 읽기'입니다. 눈으로는 책을 읽으면서 입으로는 '하나', '둘', '셋' 소리를 내라는 건데요.

소리를 내는 상황에서 속 발음 까지 하는 것은 정말 어려워서, 자연스레 속 발음이 없어진다고 합니다. 한 번 해보시길 추천 드립니다.

물론 처음에는 약간 혼란스럽지만 익숙해지면 점점 이해력이 향상된다고 짐 퀵은 말합니다.

이렇게 숫자를 꼭 하지 않더라도. 속으로 글자를 읽고 있다는 생각이 들 때 '이 속 발음이 독서 속도를 늦추고 있다.'라는 것을 지각하기만 해도 독서 속도가 빨라지는 것을 체감하실 수 있으실 겁니다.

마지막으로, 손가락으로 짚어가며 읽기입니다. 우리가 빨리 읽지 못하는 이유 중 하나는 '안구 회귀' 즉 읽다가 시선이 돌아가 특정 부분을 다시 읽는 현상 때문이라고 합니다.

집중이 잘 안될 때 책 읽으면 읽은 부분 읽고 또 읽고 또 읽고 또 읽고 그런 경험 다들 많으시죠?

어느 정도의 안구 회귀는 거의 모든 사람이 하기 마련인데, 대부분 무의식적으로 이루어진다고 해요.

손가락으로 짚어가면서 읽으면, 손가락의 위치에 집중하

기 때문에 무의식적으로 읽은 부분을 또 읽는 회귀 현상을 예방해 읽는 속도가 빨라진다고 합니다.

짐 퀵 이 책에서 소개하는 연구에 따르면, 손가락을 사용하면 읽는 속도가 최고 25%에서 최대 100%까지 빨라진다고 합니다.
실제 제가 실천에 봤는데, 전 이제 손가락 혹은 펜 등을 지퍼 가면 읽지 않으면 답답해서 책을 못 읽겠다는 생각이 들 정도로 큰 속도 향상을 경험했습니다.
무엇보다 집중도 잘 되고요. 그만큼 실천하기도 쉽고, 효과도 직방인 방법이라 할 수 있습니다.

"그럼 여기서 잠깐, 빨리 있는 게 좋은 건가?" 하시는 분들이 계실 수 있습니다.
우리는 보통 천천히 씹어가며 책을 읽어야 배우는 것이 많고, 속독은 이해도가 떨어지는 방법이라는 생각을 많이 하니깐요. 짐 퀵은 이를 반박합니다. 짐 퀵은 책을 통해 조용한 거리를 천천히 운전할 때와 경주로의 급커브를 전속력으로 달리는 상황에 대한 비유를 듭니다.
천천히 운전할 때는 여러 다른 일도 할 수 있죠. 음악 듣기, 노래 부르기, 대화하기 등이요.
그러나, 빠른 속도로 커브를 돌 때는 운전 외에 그 어떤 일도 신경 쓸 수 없습니다.

오로지 운전에만 몰입하게 되죠. 같은 원리로 우리의 독서도 빠르게, 오롯이 독서에 집중할 때 더욱 효과적인 독서가 일어날 수 있다고 합니다.

마무리하겠습니다. 읽어야 할 정보가 너무나도 많은 시대, 우리가 선택할 수 있는 것은 두 가지입니다.
시간을 늘리거나, 읽는 속도를 느리거나.
24시간은 한정되어 있는 만큼 시간을 늘릴 수 없으니 우리는 속도를 높여야 합니다.
속도를 높인다고 해서 이해도가 떨어지는 것이 아니라, 오히려 더 몰입감이 높아진다는 것을 기억하십시오.
주변 씨를 활용하고, 속 발음을 멈추고, 손가락으로 짚어가며 책을 읽으십시오.
당신의 독서량, 효율성, 나아가 당신의 부까지 몇 배 혹은 몇십 배 성장하는 경험을 하시게 될 것입니다.
<유튜브 북토크>

일론 머스크, 빌 게이츠, 버락 오바마, 오프라 윈프리 등이 빠르게 독서를 하기 위해 속도법을 배우고 세계 수많은 위인들, 부자들 대부분이 책을 읽고 책을 쓰는 이유가 자명하다. 신이 인간을 사랑해서 자신의 능력인 한 가지인 보물(지혜)을 책 속에 숨겨 놨다. 그래서 그 보물(지혜)을 아무나 찾지 못한다. 책을 하루 한 권 모빈 찾

을 수 있는 게 아니다.

끊임없이 책을 읽어야만 신이 숨겨놓은 보물(지혜)을 하나씩 찾을 수 있는 것이다. 책을 많이 읽는 사람이 극소수인 것처럼 성공자, 부자들이 극소수다. 책을 많이 읽는다고 성공자, 부자가 되는 건 아니다. 하지만 단언컨대 성공자, 부자들은 책을 어마어마하게 읽는다.

사람의 생각을 바꾸는데 책 1톤이 필요하고 자신 인생을 바꾸는 데는 자신 분야 책 1권 출간이면 가능하다. 책 1,000권 읽는 것보다 자신 분야 책 1권 책 쓰기와 책 출간이 더 가치가 있다. 책을 10권 읽고 책 쓰는 사람, 책 100권 읽고 책 쓰는 사람, 책 1,000권 읽고 책 쓰는 사람 중에 어떤 사람 책이 내공, 값어치, 가치가 느껴질까? 누구에게 물어봐도 책 1,000권 읽고 책 쓰는 사람일 것이다. 책 쓰기의 기본 전제는 책을 많이 읽기다. 그 다음에는 물이 99도까지는 끓지 않고 100도에서 끓듯이 지혜의 임계점인 1도를 올려주는 것이 바로 책 출간이다. 책을 한 권도 읽지 않고 책 한 권 출간이 더 좋다고 말하는 게 아니다. 남들이 책 출간 한 것을 한번 읽는 것 보다 자신이 시행착오, 대가 지불, 인고의 시간을 거쳐 만든 책 쓰기, 책 출간이 그 만큼 평생 남으며 가치가 있다고 말하는 것이다.

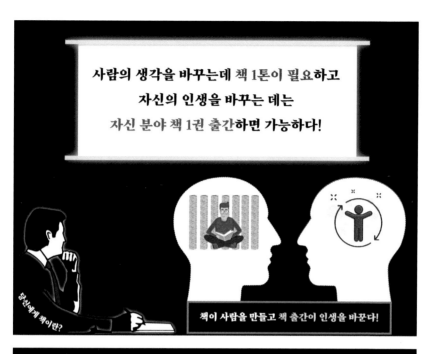

방탄책쓰기사관학교(www.방탄book.com)에서는

책 출간 최고의 장점인 절판 없는 책 쓰기, 책 출간을 한다. (절판: 발행된 책이 단종 됨, 출판사와 계약기간 만료) 출간한 책이 절판되어 재 출간하려면 처음 들어간 비용 다시 발생한다. 출판사들 90%가 절판을 한다.

방탄책쓰기사관학교(www.방탄book.com)에서는

"그래, 버킷리스트인 책 한 권 출간했어! 냄비 받침대가 되어 라면 국물이 묻어서 쓰레기가 되어도 좋아." 이런 정신으로 책 쓰기 코칭을 하지 않는다. 베스트셀러 책이 되는 것도 좋지만 자신, 가족, 조직체 원들, 소중한 사람들이 봤을 때 베스트라고 할 수 있는 책 출간 코칭을 한다.

방탄책쓰기사관학교(www.방탄book.com)에서는

자신 분야와 연결시켜 스펙도 올리고 돈을 벌 수 있는 시스템과 연결시켜 부수입을 올릴 수 있으며 부업(제2의 직업 강사, 제3의 직업 코칭, 은퇴 후 직업)으로도 할 수 있는 책 출간 코칭을 한다. 더 나아가, 많은 사람들에게 도움을 줄 수 있고 선한 영향력을 끼쳐 놓기부여 해 줄 수 있는 리더 책 출간 코칭을 한다.

책 쓰기, 책 출간 교육, 코칭은 누구나 한다. 자신 분야를 연결하여 삼성(진정성, 전문성, 신뢰성), 월세, 연금성 수입을 올릴 수 있는 책 쓰기, 책 출간은 방탄책쓰기 사관학교에서만 할 수 있다.

어디에 있든 그 곳이
변화, 성장, 배움, 행복의
시작점이다.

− 최보규 방탄book 창시자 −

전문성, 몸값 상승, 가치, 은퇴 준비, 노후 준비, 월세 수입, 연금성 수입, 온라인 건물주
자신 분야 날개를 달자!

자신 전문 분야 메뉴얼, 체계적인 시스템이 머리에만 있으면 아마추어다.
자신 전문 분야 메뉴얼, 체계적인 시스템이 자료화(책 출간)되어 있다면 삼성이 검증된 전문가다!

자신 분야
삼성(진정성, 전문성, 신뢰성)UP

자신 가치 상승

자신 분야 전문 서적이 있다고 몸값, 가치가 올라가는 건 아니다. 하지만 몸값을 올리고 자신 가치를 올리는 사람들 99%는 자신 분야 전문 서적이 있다는 것을 명심하자!

몸값 상승

출간한 책으로 커리큘럼을 제작하여 비대면 시대가 와도 비수기 없이 온라인으로 수입을 올릴 수 있다.
시간, 장소 제약 없이 지속적으로 수입 창출을 할 수 있다.

온라인 콘텐츠 연결

출간한 책으로 커리큘럼 제작 후 디지털 콘텐츠(영상) 제작으로 수입 발생.
(매달 지속적인 월세, 연금성 수입, 온라인 건물주)
자신 분야 불특정 다수 연결로 인해 다양한 사업 제의와 수입 연결 통로.
영상 한번 제작으로 자신 분야 150년 지속적인 홍보 효과

디지털 콘텐츠 연결

최초! 한 곳에서 100년 활용하는 6가지 기술력을 전수한다!

www.방탄book.com

타사와 **비교불가** 초월 혜택으로
자신 분야 온라인 건물주 되어 **100년 수입 창출!**

이코노미 코칭	비지니스 코칭	퍼스트클래스 코칭

www.방탄book.com

차별이 아닌 초월 시스템

타사와 비교불가 초월 혜택으로 자신 분야 온라인 건물주 되어 100년 수입 창출!

이코노미 코칭	비지니스 코칭	퍼스트클래스 코칭
기본 5H, 10H ~ 52H I 500,000원~	기본 10H, 15H ~ 52H I 1,000,000원~	기본 15H, 20H ~ 52H I 3,000,000원~
CHECK POINT	CHECK POINT	CHECK POINT
☑ 책 쓰기, 책 출간 컨설팅 후 코칭(하)	☑ 책 쓰기, 책 출간 컨설팅 후 코칭(중)	☑ 책 쓰기, 책 출간 컨설팅 후 코칭(상)
☑ 6가지 수익 창출 컨설팅 후 코칭(하)	☑ 6가지 수익 창출 컨설팅 후 코칭(중)	☑ 6가지 수익 창출 컨설팅 후 코칭(상)
☑ 150년 A/S, 피드백, 관리	☑ 150년 A/S, 피드백, 관리	☑ 150년 A/S, 피드백, 관리

www.방탄book.com

101

리더의 자신 분야 삼성(진정성, 전문성, 신뢰성)을
올려주고 인정해 주는 건 자신 전문 분야 책 출간이다!

책 1,000권 읽는 것보다.
자신 분야 책 1권 책 쓰기, 책 출간이 100년 간다!

리더 생각을 바꾸는데 책 1톤이 필요하고
리더 인생을 바꾸는 데는
자신 분야 책 1권 출간이면 가능하다!

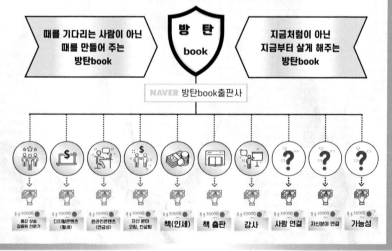

최보규의 책 쓰기 10G

✔일시, 시간

▶ 수시 모집 (상담)

▶ 13:00 ~ 18:00 (기본 5시간)
  시간 조정 가능!(10H, 15H, 20H)

✔내용

1. 책 쓰기, 책 출간 의미 부여, 목표, 방향 설정
   (5가지 책 출판 장단점)
2. 7G(원고, 투고, 퇴고, 탈고, 투고, 강의, 강사)
3. 온라인 콘텐츠 연결 기획, 제작
4. 디지털 콘텐츠 연결 기획, 제작
5. 자신 분야 연결 제2수입, 제3수입 창출 시스템 기획, 제작

✔자기계발 비용, 인원

▶ 비용 상담

▶ 1:1 코칭(온,오프라인)

✔장소, 상담

▶ 장소 상담 후 상황에 따라 변동 사항

▶ 한 번의 상담이 인생 터닝포인트
  150년 A/S, 관리, 피드백
  최보규 원장 010-6578-8295

방탄책쓰기 사관학교
시스템 사용설명서

시스템 소개

4차 산업 시대에 맞는 4차 책쓰기로 업데이트!

자신, 가족, 지인, 많은 사람들에게 읽히고 3대까지 가는 책 그냥 쓰면 안됩니다. 책 쓰는 의미 부여, 목표, 방향을 제대로 잡아 힘든 시기 제2의 수입, 제3의 수입을 올릴 수 있는 전문 분야 책쓰기로 자신 분야 삼성(진정성, 전문성, 신뢰성)을 올려야 합니다.

1차, 2차 책 쓰기는 아무나 못 쓰는 책이었고 3차 때는 누구나 쓸 수 있는 책이었다면 4차 책 쓰기는 자신 분야 삼성을 올릴 수 있는 책 쓰기, 책 출간이 되어야 합니다. 월세, 연금성 수입이 들어올 수 있는 콘텐츠 책 쓰기가 되어야 합니다.

01 교육.강의.코칭 목적 및 기대효과

📢 책 쓰기, 책 출간의 본질은 5가지 출판 장단점과 7G(초보, 원고, 퇴고, 탈고, 투고, 강의, 강사)를 학습, 연습, 훈련을 통해 자신 분야 삼성(진정성, 전문성, 신뢰성)을 올 릴 수 있는 효과.

빠르게 변하는 시대, 힘들고 점점 더 어려워지는 환경 속에서 방탄책쓰기 사관학교에서 책 쓰기, 책 출간 교육, 코칭으로 온라인 콘텐츠까지 연결시켜 본업 외에 제2수입, 제3수입을 발생시킬 수 있는 효과

 # 02 교육.강의.코칭 항목

📢 1단계: 책 쓰기, 책 출간 의미 부여, 목표, 방향 설정
　　　　(5가지 책 출판 장단점)
2단계: 7G(원고, 투고, 퇴고, 탈고, 투고, 강의, 강사)
3단계: 온라인 콘텐츠 연결 기획, 제작 (월세 수입)
4단계: 디지털 콘텐츠 연결 기획, 제작 (연금성 수입)
5단계: 자신 분야 연결 제2수입, 제3수입 창출 자동 시스템 기획, 제작

1	**2**	**3**	**4**	**5**

03 방탄책쓰기사관학교 신청 대상 세부 내용

방탄책쓰기사관학교

- 자기계발을 시작하고 싶은 분.
- 4차 책쓰기 업그레이드를 통해 자신 분야 변화, 성장하고 싶은 분
- 책쓰고 자신 분야 전문가 되어 강사가 되고 싶은 분
- 1,2,3,4,5단계 4차 책쓰기를 배워 자신 분야 삼성(진정성, 전문성, 신뢰성)을 업데이트해서 자신분야 가치, 몸 값어치를 올리고 싶은 분
- 방탄자기계발사관학교 지회장이 되어 9가지 사관학교를 운영, 대한민국 노벨상인 최보규상 임원진이 되고 싶은 분

 04 교육. 강의. 코칭 항목

◀)) 교육 시간은 변동사항 있을 수 있습니다!

구분	주제	강의내용	시간
방탄책쓰기 사관학교	1단계	책 쓰기, 책 출간 의미 부여, 목표, 방향 설정 (5가지 책 출판 장단점)	1H ~ 10H
	2단계	7G(원고, 투고, 퇴고, 탈고, 투고, 강의, 강사)	1H ~ 10H
	3단계	온라인 콘텐츠 연결 기획, 제작	1H ~ 10H
	4단계	디지털 콘텐츠 연결 기획, 제작	1H ~ 10H
	5단계	자신 분야 연결 제2수입, 제3수입 창출 시스템 기획, 제작	1H ~ 10H

책 쓰기 3가지만 준비하면 끝!

20,000명 상담, 코칭 데이터! 사실 각자마다 기준이 다를 수 있으므로
삼성(진정성, 신뢰성, 전문성)이 검증된 사람이 말할지라도 맹신은 금물!

02

7G를 알아야 책 쓰기가 편하다!
초고, 원고, 퇴고, 탈고, 투고, 강의, 강사

작가 직업, 강사 직업
두 마리 토끼 잡는다.
중요 ★★★★★★★

책 쓰기 중요한 3가지

책 쓰기 3가지만 준비하면 끝!

20,000명 상담, 코칭 데이터! 사실 각자마다 기준이 다를 수 있으므로
삼성(진정성, 신뢰성, 전문성)이 검증된 사람이 말할지라도 맹신은 금물!

03

한번 코칭으로 150년 A/S, 관리, 피드백 받을 수 있는 전문가 선택!

대한민국 대부분 코칭 95%가 한번 코칭 하면 끝나고
가장 중요한 관리를 해주지 않는다. 늘 그때뿐인 교육, 코칭이 된다!

돈, 시간을 아껴준다.
중요 ★★★★★★★

책 출간 준비 3가지만 하면 끝!

20,000명 상담, 코칭 데이터! 사실 각자마다 기준이 다를 수 있으므로
삼성(진정성, 신뢰성, 전문성)이 검증된 사람이 말할지라도 맹신은 금물!

03

한번 코칭으로 150년 A/S, 관리, 피드백 받을 수 있는 전문가 선택!

대한민국 대부분 코칭 95%가 한번 코칭 하면 끝나고
가장 중요한 관리를 해주지 않는다. 늘 그때뿐인 교육, 코칭이 된다!

돈, 시간을 아껴준다.
중요 ★★★★★★★

책 출간 준비 3가지만 하면 끝!

20,000명 상담, 코칭 데이터! 사실 각자마다 기준이 다를 수 있으므로
삼성(진정성, 신뢰성, 전문성)이 검증된 사람이 말할지라도 맹신은 금물!

01

책 홍보 마케팅 전략!

책 홍보전략을 통해 꾸준히 개인 SNS 노출 할 책 내용 요약 디자인 작업
(100개 이하), 최소의 비용으로 최대 효과를 낼 수 있는 유튜브 홍보

돈, 시간을 아껴준다.
중요 ★★★★★★★

책 출간 후 중요한 3가지

책 출간 준비 3가지만 하면 끝!

20,000명 상담, 코칭 데이터! 사실 각자마다 기준이 다를 수 있으므로
삼성(진정성, 신뢰성, 전문성)이 검증된 사람이 말할지라도 맹신은 금물!

02

책 분야 전문성 만들기!

책 전문분야 1개월 ~ 6개월 교육할 커리큘럼, 시스템을 만들어 책을 교재로
활용해서 자신 분야 삼성(진정성, 전문성, 신뢰성)을 만들고 강사료를 올리자.

작가 직업, 강사 직업
두 마리 토끼 잡는다.
중요 ★★★★★★★

책 출간 후 중요한 3가지

책 출간 준비 3가지만 하면 끝!

20,000명 상담, 코칭 데이터! 사실 각자마다 기준이 다를 수 있으므로
삼성(진정성, 신뢰성, 전문성)이 검증된 사람이 말할지라도 맹신은 금물!

03

한번 코칭으로 150년 A/S, 관리, 피드백 받을 수 있는 전문가 선택!

대한민국 대부분 코칭 95%가 한번 코칭 하면 끝나고
가장 중요한 관리를 해주지 않는다. 늘 그때뿐인 교육, 코칭이 된다!

돈, 시간을 아껴준다.
중요 ★★★★★★★

책 출간 햇는데...그 다음은?

책 출간 후 가장 먼저 해야 할 3가지!

출판계의 로또 기획출판(1000~3000만 원 투자 받음) 아닌 이상 저자가 다 해야 된다.
책 스타트업은 이렇게 시작된다.

처음부터 공들여야해..
이곳 저곳 하나하나

01 책(신생아)키우기

꾸준히 관심, 사랑을
받기 위해 페이지별로
이미지 제작해서
SNS 노출

이 책은 OOO 입니다!
많이 사랑해주세요!

02 마케팅 하기

책 분야
강의 교안 작업 홍보
이미지 제작
홍보 영상 제작

음.. 여기서 이 정도
연결시켜 소득 지속화!

03 전문성 연결

책 분야 교육, 코칭
커리큘럼, 제안서
전문분야 자격증
만들어 몸값 올리기

스타트업 ★ 마케팅 사례

유튜브 홍보, 마케팅 전략사례 1

최소의 비용으로 최대 효과
지속적인 마케팅 사례를 알아보자!
인세 발생, 강의 의뢰, 코칭 의뢰, 전문성 홍보
일반 강사, 작가 보다 차별화 스펙 어필!
5 ~ 10가지 연결고리가 생겨 단타에 끝나지 않고
영상 삭제하기 전까지 지속적 연결된다!(100년)

01 행복히어로 (출간일 2021. 01. 17)

▶ 유튜브 업로드 한번 끝!
▶ 조회 수 : 4,280회 (꾸준히 노출)
▶ 인세 발생, 강의 의뢰, 코칭 의뢰, 전문성 홍보..
▶ 한 번의 영상 제작, 홍보로 10가지 연결고리

유튜브 홍보, 마케팅 전략사례 2

최소의 비용으로 최대 효과
지속적인 마케팅 사례를 알아보자!
인세 발생, 강의 의뢰, 코칭 의뢰, 전문성 홍보
일반 강사, 작가 보다 차별화 스펙 어필!
5 ~ 10가지 연결고리가 생겨 단타에 끝나지 않고
영상 삭제하기 전까지 지속적 연결된다!(100년)

02 나다운 방탄습관블록 (출간일 2021. 06. 07)

▶ 유튜브 업로드 한번 끝
▶ 조회 수 : 14,901회 (꾸준히 노출)
▶ 인세 발생, 강의 의뢰, 코칭 의뢰, 전문성 홍보..
▶ 한 번의 영상 제작, 홍보로 10가지 연결고리

책 출간 스타트업 지원 정책

함께 잘 먹고 잘 살기 위해 지원금 드립니다!

책 쓸 아이템은 없지만 책을 쓰고 싶은데?
책 쓸 아이템 있는데? 어떻게 시작해야 할지 막막하다면?
코칭비, 출간 비용이 부족하다면? 맞춤 상담과 지원금 신청하세요!

책 쓰기 시작 하고 싶은 분 7G 스타트업	지원금 50% 적용해서 반값에 코칭! 기본 1회 5H (2회 ~ 5회 선택가능)
책 출간 0월 0일 예정일 받은 분 계획적 책(신생아) 출산 준비	지원금 50% 적용해서 반값에 코칭! 책 2시간 특강 강의 교안 작업 완성될 때까지, 프로필 사진 페이지별 이미지 작업, 홍보 이미지, 홍보 영상 작업 (샘플 참고)

저자 특강 2시간 강의교안 제작 샘플

책 표지, 책 내용으로 맞춤 디자인 제작, 변경 가능!

저자 특강 2시간 강의교안 제작 샘플

책 표지, 책 내용으로 맞춤 디자인 제작, 변경 가능!

저자 특강 2시간 강의교안 제작 샘플

책 표지, 책 내용으로 맞춤 디자인 제작, 변경 가능!

책 개인 프로필 홍보 이미지 샘플

책 표지, 책 내용으로 맞춤 디자인 제작, 변경 가능!

개인 SNS 홍보! 책 페이지별 이미지 제작 샘플

책 표지, 책 내용으로 맞춤 디자인 제작, 변경 가능!

개인 SNS 홍보! 책 페이지별 이미지 제작 샘플

책 표지, 책 내용으로 맞춤 디자인 제작, 변경 가능!

개인 SNS 홍보! 책 페이지별 이미지 제작 샘플

책 표지, 책 내용으로 맞춤 디자인 제작, 변경 가능!

 YouTube

유튜브 홍보영상제작 샘플

책 표지, 책 내용으로 맞춤 디자인 제작, 변경 가능!

유튜브 홍보영상제작 샘플

책 표지, 책 내용으로 맞춤 디자인 제작, 변경 가능!

유튜브 홍보영상제작 샘플

책 표지, 책 내용으로 맞춤 디자인 제작, 변경 가능!

방탄책쓰기 사관학교

방탄책쓰기 자격증

"국가등록 민간자격"

★ 자격증명: 자기계발코칭전문가

★ 등록번호: 2021-005595

★ 주무부처: 교육부

★ 자격증 종류: 모바일 자격증

※ 등록하지 않은 민간자격을 운영하거나 민간자격증을 발급할 때에는 [자격기본법]에 의해 3년 이하의 징역 또는 3천만 원 이하의 벌금에 처해진다.

"국가등록 민간자격증"

★ 자격증명: 자기계발코칭전문가

★ 등록번호: 2021-005595

★ 주무부처: 교육부

★ 자격증 종류: 모바일 자격증

※ 등록하지 않은 민간자격을 운영하거나 민간자격증을 발급할 때에는
[자격기본법]에 의해 3년 이하의 징역 또는 3천만 원 이하의 벌금에 처해진다.

책 쓰려는 분! 작가님들! 저서 있는 강사님들!
자신 책 강의 트랜드에 맞는
교안 작업, 트레이닝? 힘드시죠?
담당자, 청중이 좋아하는 교안 작업, 트레이닝 힘드시죠?
강의를 못해서 자신 책, 소중한 책
3대까지 가는 책을 더는 죽이지 마시고 심폐소생술 시작!

책 쓰실 분, 작가님, 저서 있는 강사님들
자신 책 값어치, 강사료 올리고
온라인 콘텐츠 제작으로 수입 발생
자동 시스템을 연결시켜드립니다.

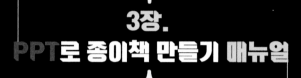

3장.
PPT로 종이책 만들기 매뉴얼

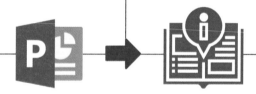

PPT 만드는 우주 초보 실력 수준으로 책을 쓰고 출간할 수 있는 방법을 세계 최초로 공개한다.

PPT를 할 수 있는 사람(PPT 교안이 있는 사람)들에게 천재일우! 집중!

(천재일우: 좀처럼 만나기 어려운 기회. 천년에 한번 만날 수 있는 기회.

#. 이 책에서 말하는 종이책 출간하는 방법들의 기본은 bookk(부크크)출판사 기준으로 말을 할 것이다. 필자가 150권을 출간하면서 3권 빼고는 bookk 출판사 기준으로 출판을 했다. 종이책 출간의 정답은 없기에 시간, 돈 낭비를 줄이는 방법을 오픈하기에 집착하기보다는 맹신해도 좋다. 종이책 출간하기 위해서 1권 출간 비용이 최소 300만 원 ~ 1,000만 원 들어가는 것을 0원으로 출간하는 기술력을 오픈하기에 무조건 따라해야 한다. 순간 이런 생각이 들 것이다.

"대부분 맹신하지 말고 참고만 하라고 하는데 최보규 강사책쓰기 코칭전문가는 왜 맹신하라고 하지? 종이책 150권, 전자책 250권 총 400권 출간했으니 무조건 따라 해라? 종이책 150권, 전자책 250권 총 400권 출간했으면 검증된 것은 맞지만 그래도 맹신은 좀 그렇지 않습니까?"

종이책 150권, 전자책 250권 총 400권 출간했다는 이유만으로 맹신하라고 하는 것이 아니다. 평균 자비 출판하면 1권 출간 비용이 300만 원이 들어간다.
150권*300만 원 = 4억 5천만 원이 들어갔을까? 비용이 그렇게 들어갔다면 이 책 쓸 자격이 안 되는 것이다. 맹닭book 기술력으로 0원이 들어갔기에 맹신하라고 하는

130

것이다. 책을 출간하고 싶은 90% 사람들이 1권 출간하는데 몇 백 만원 들어가는 것에 부담이 돼서 출간을 하지 않는다. 출간 비용이 0원이라는데 맹신 안하면 우주에서 바보 아닌가?

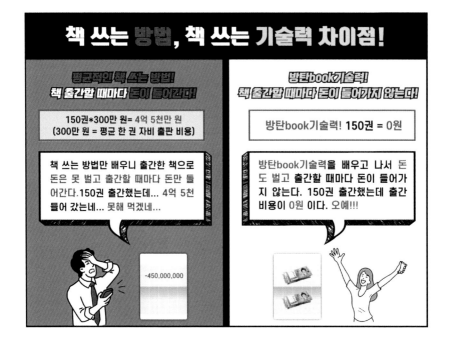

종이책 150권, 전자책 250권 총 400권 출간으로 종이책 인세, 전자책(PDF)인세 한 달에 얼마가 나올 거 같은가? 출간한 책과 6가지 수입을 창출할 수 있는 기술력을 연결해서 수입을 발생시키고 있다면? 맹신해야 되겠는가? 스쳐 지나가는 바람처럼 취급을 해야 되겠는가? 알아서 판단하길 바란다. 순간 또 이런 생각이 들것

이다. "수입 인증 할 수 있습니까?"

20,000명 심리 상담, 코칭 하면서 알게 된 것이 있다. 수입 인증, 통장을 보여주는 사람들이 다 사기꾼은 아니지만 단언컨대 수입 인증, 통장 오픈 하는 사람 90%는 사기꾼이라는 것이다. 얼마든지 수입 인증, 통장 인증, 영상 인증을 조작 할 수 있는 현실이기 때문이다.

2024년 대한민국 현실은 5명 중 1명이 사기꾼이고 3혹 [유혹, 현혹, 화혹(화려함에 혹하다)]에 빠져 3명 중 1명중 한명이 사기 당한다. 대검찰청에 따르면 연간 136만 건 범죄 중 가장 많이 발생하는 범죄가 1위는 사기다. 수입 인증, 통장 인증하는 사람들 90%는 "믿음을 줘야 크게 한탕을 칠 수 있다."라는 심리가 있다. 수입 인증, 통장 인증하는 사람들이 다 사기꾼은 아니다. 하지만 단언컨대 사기꾼들은 수입 인증, 통장 인증을 한다는 것을 명심하자!

지금 시대는 돈 버는 방법을 배우는 것보다 선행되어야 할 것은 사기 안 당하는 방법을 배워야 한다. 그래서 수입 인증, 통장 인증을 하는 사람들 90% 의심하고 또 의심하고 경계해야 한다. 그래서 필자는 한탕을 칠 마음으로 방탄book기술력을 오픈하는 게 아니라 "더 힘께 잔

되고 잘 살자"라는 마음으로 방탄book기술력을 오픈하는 것이기 때문에 수입 인증, 통장 인증을 하지 않는다. 책 저작권료는 사후 70년까지 나오고 자녀와 공동저자로 등록하면 자신이 세상을 떠나더라도 자녀에게 저작권료가 간다.

책 출간이야말로 스펙, 돈 없는 일반 사람에게는 황금알을 낳는 기위가 아니라 다이아몬드는 낳는 21세기 거위라는 것이다. 은퇴 준비? 노후 준비? 인금 준비? 미래 준비? 다 되는 것이다. 하지만 시중에 있는 책 쓰기, 책 출간만 하는 교육, 코칭 하는 사람, 협회, 기관에서 배우는 것으로는 은퇴, 노후, 연금, 미래 준비를 할 수 없다.

책 쓰기, 책 출간만 하고 끝나는 것이 아닌 책 쓰기, 책 출간을 통해 6가지 수입까지 인걸시킬 수 있는 기술력을 배워야만 은퇴, 노후, 연금, 미래 준비가 되는 것이다.

시중에 책 쓰기, 책 출간만 하는 사람, 협회, 기관들이 99%다. 대한민국에서 아니 세계에서 유일하게 방탄book기술력(책 한 권 출간으로 6가지 수입을 창출하는 기술력)을 배울 수 있는 곳은 방탄book출판사뿐이다.

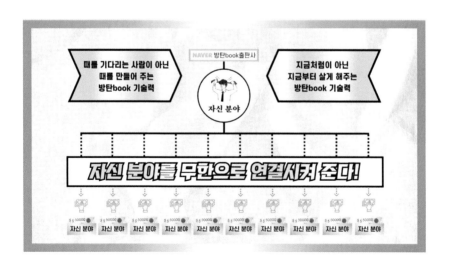

**평균 희망 은퇴 73세, 현실 은퇴 나이 49세!
100세 시대 언제까지 몸(노동)으로만
일해서 돈을 벌 것인가?**

세상, 현실 기준에서 스펙, 돈, 인맥, 자산 등이 없어서 100세까지 노동을 해야 되고 몸까지 아프면 더 답이 없는 상황! 젊을 때는 100가지 중 99가지를 할 수 있지만 나이 들면 100가지 중 99가지를 할 수 없다. 3고 시대, AI 시대, 챗GPT 시대에 자신의 직업이 사라질 수 있는 상황에서 어떻게 준비, 대비할 것인가?

 **방탄BOOK기술력
선택이 아닌 필수!**

세계 최초

방탄
BOOK
기술력

★★★★★ **차별이 아닌 초월 시스템** ★★★★★

타사와 비교불가 초월 혜택!
자신 분야 온라인 건물주가 되어 100년 수입 창출!

 Google 자기계발아마존   ▶YouTube 방탄자기계발   NAVER 방탄book   NAVER 최보규

이코노미 PT

기본 5H : 500,000원

CHECK POINT

☑ 기본 1회(1일=5H)
☑ 6가지 수입 창출 시스템 매뉴얼 설명
☑ 150년 A/S

142

특허청 등록
최보규 자기계발코칭 창시자
등록 번호: 제 40-2072344 호

★★★★★ **차별이 아닌 초월 혜택** ★★★★★

| Google 자기계발아마존 | ▶ YouTube 방탄자기계발 | NAVER 방탄book | NAVER 최보규 |

이코노미 PT

기본 5H : 500,000원

- ☑ 150년 A/S (세계 최초)
- ☑ 마스터한 분야 자격증 1종 취득
- ☑ 방탄자기계발사관학교 강사 위촉
- ☑ 방탄자기계발사관학교 마스터 위촉
- ☑ 비지니스 PT 10% 할인
  (10만원 상당)
- ☑ 퍼스트클래스 PT 10% 할인
  (30만원 상당)
- ☑ 마스터한 분야 실전 2시간 강의
  교안 제공. (강사료 200만원 상당)

★★★★★ 차별이 아닌 초월 시스템 ★★★★★

타사와 비교불가 초월 혜택!
자신 분야 온라인 건물주가 되어 100년 수입 창출!

Google 자기계발아마존   ▶YouTube 방탄자기계발   NAVER 방탄book   NAVER 최보규

비지니스 PT

기본 5H : 500,000원

CHECK POINT

☑ 기본 1회(2~3일=10H)
☑ 6가지 수입 창출 시스템 실전 훈련
☑ 150년 A/S, 피드백

★★★★★ 차별이 아닌 초월 혜택 ★★★★★

 Google 자기계발아마존    YouTube 방탄자기계발   NAVER 방탄book   NAVER 최보규

비지니스 PT

기본 10H : 1,000,000원

- ☑ 150년 A/S, 피드백
- ☑ 마스터한 분야 자격증 1종 취득
- ☑ 방탄자기계발사관학교 전임 강사 위촉
- ☑ 방탄자기계발사관학교 전임 마스터 위촉
- ☑ 퍼스트클래스 PT 10% 할인
  (30만원 상당)
- ☑ 강사 맞춤 트레이닝 비대면 1회 제공
  (50만원 상당)
- ☑ 마스터한 분야 실전 2시간 강의 교안
  제공, 1:1 맞춤 교안 설명
  (강사료 200만원 / 1:1 맞춤 100만원 상당)

★★★★★ 차별이 아닌 초월 시스템 ★★★★★

타사와 비교불가 초월 혜택!
자신 분야 온라인 건물주가 되어 100년 수입 창출!

 Go gle 자기계발아마존   ▶YouTube 방탄자기계발   NAVER 방탄book   NAVER 최보규

퍼스트클래스 PT

기본 15H : 3,000,000원~

CHECK POINT

- ☑ 기본 1회(15H) / (2회 ~ 5회 선택 사항)
- ☑ 6가지 수입 창출 **자동 시스템 구축**
- ☑ 150년 A/S, 피드백, VIP맞춤 관리

명품
자기계발

명품
동기부여

★★★★★ 차별이 아닌 초월 혜택 ★★★★★

 자기계발아마존    방탄자기계발   NAVER 방탄book   NAVER 최보규

퍼스트클래스 *PT*

기본 15H : 3,000,000원~

- ☑ 150년 A/S, 피드백, VIP맞춤 관리
- ☑ 자격증 3종 취득 (150만원 상당)
- ☑ 방탄자기계발사관학교 지회장 위촉
- ☑ 종이책, 전자책 출간 후 네이버 인물 등록
- ☑ 20H, 30H, 40H, 50H PT 20% 할인
- ☑ 강사 맞춤 트레이닝 대면 1회 제공
  (50만원 상당)
- ☑ 프로필 유튜브 홍보 영상 제작
  (100만원 상당)
- ☑ 마스터한 분야 풀 패키지 (교안 제공,
  1:1 맞춤 교안 설명, 청강 1회 제공)
  (강사료 200만원 / 1:1 맞춤 100만원 /
  청강 1회 200만원 상당)

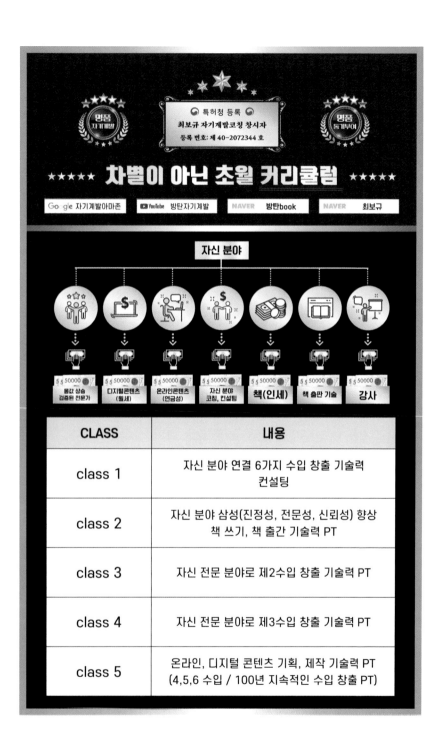

특허청 등록
최보규 자기계발코칭 창시자
등록 번호: 제 40-2072344 호

★★★★★ 차별이 아닌 초월 커리큘럼 ★★★★★

Google 자기계발아마존 ┃ YouTube 방탄자기계발 ┃ NAVER 방탄book ┃ NAVER 최보규

자신 분야

| 몸값 상승 검증된 전문가 | 디지털콘텐츠 (월세) | 온라인콘텐츠 (연금성) | 자신 분야 코칭, 컨설팅 | 책(인세) | 책 출판 기술 | 강사 |

CLASS	내용
class 1	자신 분야 연결 6가지 수입 창출 기술력 컨설팅
class 2	자신 분야 삼성(진정성, 전문성, 신뢰성) 향상 책 쓰기, 책 출간 기술력 PT
class 3	자신 전문 분야로 제2수입 창출 기술력 PT
class 4	자신 전문 분야로 제3수입 창출 기술력 PT
class 5	온라인, 디지털 콘텐츠 기획, 제작 기술력 PT (4,5,6 수입 / 100년 지속적인 수입 창출 PT)

대한민국 99%가 책 쓰기, 출간하는 방법만
교육, 코칭 한다!
6가지 수입 창출 책 쓰기, 출간 기술력을
교육, 코칭 하는 곳은 **방탄book뿐이다.**

방법을 알면 1권 출간하고 끝이지만
<u>방탄book기술력을 알면</u>
10권, 100권, 1.000권... 도 가능하다.

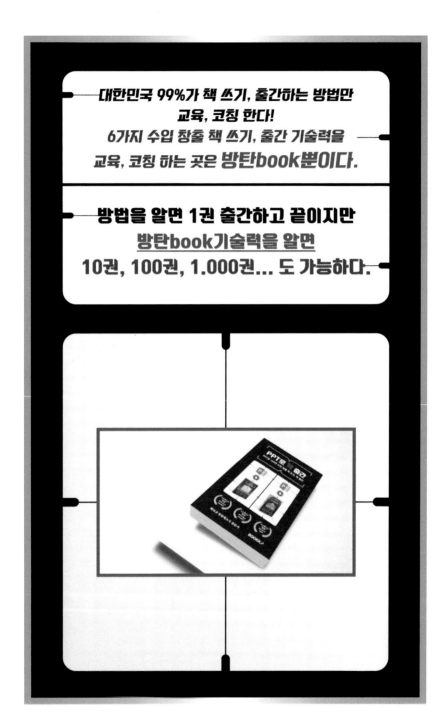

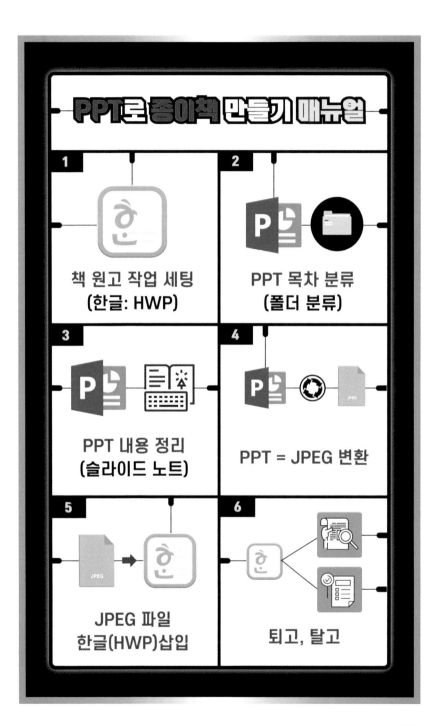

1. 책 원고 작업 세팅.
(한글(HWP)에 종이책 기본 규격 세팅)

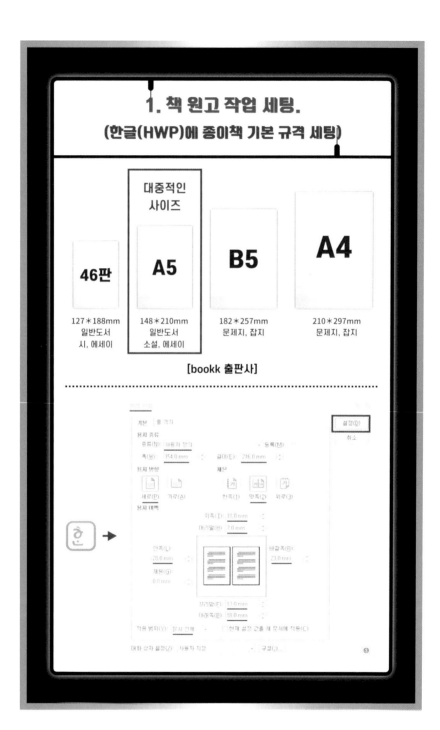

대중적인
사이즈

46판

127＊188mm
일반도서
시, 에세이

A5

148＊210mm
일반도서
소설, 에세이

B5

182＊257mm
문제지, 잡지

A4

210＊297mm
문제지, 잡지

[bookk 출판사]

책 원고 작업을 여러 가지 프로그램에서 가능하지만 평균적으로 책 원고 작업을 한글(HWP)에서 한다. 그래서 출판사의 종이책 원고 규격에 맞는 한글(HWP)에 기본 규격 세팅을 해야 한다.

▶ 원고 작업을 위한 한글(HWP) 기본 규격 세팅 순서.
한글 → 편집 → 쪽 여백 → 쪽 여백 설정 → 종류(사용자 정의) → 폭(154) → 길이(216) #. A5 대중적인 사이즈 148*210인데 상하좌우 3mm는 실제 제작 할 때 재단되어 반영되지 않기에 148+6*216+6= 폭(154)*길이(216)가 되는 것이기에 참고하자.
→ 용지 방향(세로) → 제본(맞쪽) → 용지 여백 → 위쪽 18.0 → 머리말 7.0 → 꼬리말 13.0 → 아래쪽 18.0 → 안쪽 28.0 → 바깥쪽 23.0 → 문서 전체 → 설정

한 번만 세팅해 놓으면 복사해서 계속 쓸 수 있다.

1. 책 원고 작업 세팅.
(한글(HWP)에 종이책 기본 규격 세팅)

▶ 글꼴: 바탕 ~

▶ 글자 크기: 10 ~

▶ 글정력: 양쪽 정렬

▶ 줄 간격: 160% ~

※ 글꼴, 글자 크기, 줄 간격 출판사 마다 다르다. bookk 출판사에서 평균적으로 사용하는 규격이니 참고하길 바란다.

※ 글꼴, 글자 크기, 줄 간격 출판사마다 다르다.
bookk 출판사에서 평균적으로 사용하는 규격이니 참고하길 바란다.

▶ 한글 → 글꼴(바탕) → 글자 크기(10) → 양쪽 정렬 → 줄 간격 160%

필자는 글자 크기를 12, 줄 간격은 180%로 하고 있다. 출판사가 정해 놓은 규격에서 조금 플러스가 될 수는 있지만 마이너스가 되면 안 된다. (책 출간이 안 되는 예시: 글자 크기 9, 줄 간격 150%)

한번만 세팅해 놓으면 복사해서 계속 쓸 수 있다.

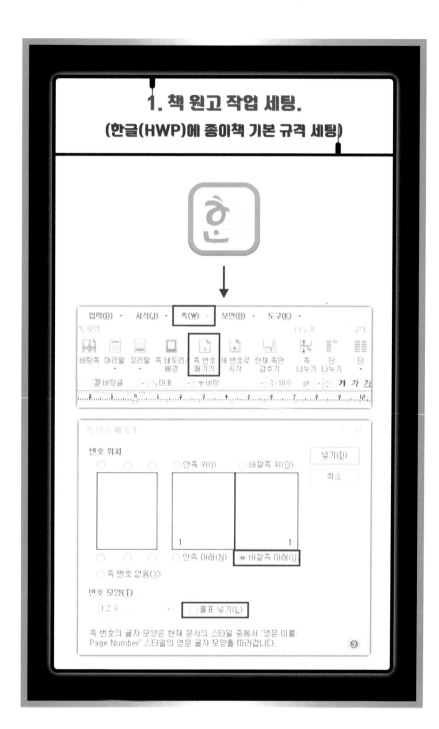

1. 책 원고 작업 세팅.
(한글(HWP)에 종이책 기본 규격 세팅)

페이지 번호를 미리 세팅해 놓으면 원고 작업할 때 편하다. 지금 몇 페이지를 쓰고 있는지 몇 페이지가 남았는지 체크를 할 수가 있어서 원고 작업이 수월해진다. 쪽 번호 매기기는 원고를 다 쓴 다음에 할 수도 있다.

▶ 한글 → 쪽 → 쪽 번호 매기기 → 바깥쪽 아래 →
→ 줄표 넣기(자신 스타일에 맞게) → 넣기

한 번만 세팅해 놓으면 복사해서 계속 쓸 수 있다.

PPT를 활용하는 발표, 강의, 교육, 코칭을 하는 사람들은 기본적으로 서론, 본론, 결론으로 나누어서 PPT 작업을 할 것이다. 목차가 없더라도 서론, 본론, 결론 아니면 1장, 2장, 3장으로 PPT를 나눌 수 있을 것이다.

이미지와 같이 방탄동기부여 목차는 5개이다. PPT를 목차 별로 나누는 이유는 종이책 출간하기 위해 기본 규격 세팅해 놓은 한글(HWP)에 PPT를 JPEG 파일로 변환하여 삽입할 때 편하게 작업하기 위해서다.

PPT 슬라이드 50장 일 때 JPEG 파일로 변환할 때 소요 시간보다 100장 일 때 JPEG 파일로 변환할 때 소요 시간이 더 걸리기 때문이다. 그래서 빠른 원고 작업을 위해서 PPT를 목차 별로 쪼개는 것이다.

2. PPT에 있는 목차 개수에 맞게 PPT 나누기.
(예시: 목차 1 ~ 목차 5 / PPT 5개)

방탄동기부여

- P★목차1 방탄동기부여
- P★목차2 방탄동기부여
- P★목차3 방탄동기부여
- P★목차4 방탄동기부여
- P★목차5 방탄동기부여
- P★총정리6 방탄동기부여

이미지와 같이 방탄동기부여 목차가 5개이다. PPT를 5개로 나눈다.

★ 목차1 방탄동기부여 55장
★ 목차2 방탄동기부여 17장
★ 목차3 방탄동기부여 56장
★ 목차4 방탄동기부여 27장
★ 목차5 방탄동기부여 19장
★ 총 정리6 방탄동기부여 62장

PPT 슬라이드 개수(50장 이하)가 적다면 PPT를 나누지 않아도 된다. 하지만 PPT 슬라이드 개수(50장 이상)가 많다면 한글(HWP)에 원고 작업할 때 헷갈리지 않기 위해서 쪼개서 작업을 하면 효율적이다.

3. 슬라이드 한 장씩 내용 정리하기.
(슬라이드 노트의 내용에 내용 설명 정리)

- 상담스토리
최보규 방탄 리더 자기계발 전문가님! 저는 자기계발 책 200권 이상을 보고 유튜브 동기부여, 자기계발 영상 300개 이상 봤습니다. 시중에 있는 유료 자기계발 교육, 영상들도 많이 봤습니다. 볼 때만 느끼고 느낀 만큼 실천 동기부여가 안 돼서 시간, 돈 낭비한 거 같고 언제까지 해야 하는지 답답하기만 하고 후회스럽습니다. 왜 나아짐이 없는지 이유를 알고 싶고 어떻게 하면 느낀 만큼 0.1% 하나라도 실천할 수 있는 방법은 없는지요? 어떻게 하면 느낀 만큼 행동으로 옮길 수 있을까요?

▶ PPT-보기-슬라이드 노트
슬라이드 노트에 슬라이드 설명을 정리해서 종이책 만
는 한글(HWP)원고에 쓴다.

발표, 강의, 교육, 코칭을 할 때 말투 그대로 원고를 써
도 되지만 책을 보는 독자들을 생각한다면 발표, 강의,
교육, 코칭 할 때 설명을 단순하게 표현을 한다면 책 내
용은 좀 더 디테일하게 설명을 해주면 내용 전달이 더
잘 되어 이해하는 속도가 빨라진다.

예) 발표, 강의, 교육, 코칭 할 때는 고등어 이미지를 보
여 주면서 등 푸른 생선인 고등어가 있습니다.
예) 책 원고를 쓸 때는 등 푸른 생선이 있습니다. 서식
지, 크기, 지느러미 크기, 먹이, 생김새... 등

이미지로 보여주면서 독자들 머리에 그려지게 고등어
설명을 자세히 해줘야 한다. 그래야만 책 내용 전달이
잘 되는 것이다.

다음은 머리에 그려지게 하는 설명이 어떤 것인지 깨닫
게 해주는 스토리텔링이다.

한 가족이 차를 타고 소풍을 갔다. 아들이 아빠에게 물

었다. "아빠, 자동차 바퀴는 어떻게 돌아가는 거야?" 아빠는 자신이 배운 대로 복잡하게 설명했다. "연료가 연소하면서 발생하는 열에너지를 기계에너지로 바꿔 자동차가 움직이는 데 필요한 동력을 얻는데, 후륜 자동차의 경우 클러치-변속기-추진축-차동기-엑 셀축-후차륜 순서로 동력을 전달해 자동차를 움직인단다." 아들이 고개를 갸우뚱하더니 이번에는 엄마에게 물었다.

"엄마, 자동차 바퀴는 어떻게 돌아가는 거야?" 그러자 엄마는 단 한마디로 대답했다. "응, 빙글빙글!"
《상상하여? 창조하라!》

초등학생도 알아들을 수 있는 단순하면서도 직관적인 강의 내용으로 강의를 하고 내용 정리를 해야 한다.
여기서 "초등학생도 알아들을 수 있는 내용"라는 말을 착각하는 사람들이 많다.
"초등학생도 알아들을 수 있는 말을 하면 수준이 너무 떨어지는 거 아닌가요? 성인들이 들었을 때 너무 뻔하고 식상한 강의, 책 내용이 되지 않을까요?"

여기서 말하는 "초등학생도 알아들을 수 있는 내용"이라는 말의 의미는 독자들, 청중들, 대중들 눈높이에 맞춰서 강의, 책 내용으로 단순 명료하게 말을 하면서 삼성(진정성, 전문성, 신뢰성)이 느껴지게 해야 된다는 것이다. 눈높이에 맞추면서 삼성(진정성, 전문성, 신뢰성)이 느껴지게 말을 하려면 내공이 있어야 한다.

한마디로 강의할 때, 책을 쓸 때 강사라면 강의 내공이 있어야 하고 작가라면 작가의 내공이 있어야 된다는 것이다.

20,000명 심리 상담, 코칭 하면서 알게 된 것은 강사들 90%가 강의 내공에 대해서 착각하는 강사들이 많다라는 걸 알았다. 강사들 90%가 강의 내공이란 강의 경험이 많고 강사 연차가 많으면 강의 내공이 자연스럽게 생기는 줄 안다. 이 말은 90% 틀렸고 10%만 맞다.

강사 분야를 떠나서 세상 모든 분야에 접목이 되는 말을 해주겠다. 20살, 30살, 40살, 50살 ~ 80살, 90살, 100살... 나이가 많으면 많을수록 평균적으로 경험이 많다. 그렇다면 나이가 많으면 많을수록 인생의 내공이 많을까? 인생 지혜가 많을까? 아니라는 것이다. 당연히 인생의 많은 경험과 나이가 많은 사람의 인생 노하우를 무시는 못 하지만 극소수 빼고는 인생의 내공, 인생의 지혜가 있는 사람이 없다. 한마디로 나잇값을 못하는 사람이 90%라는 것이다. 왜 똑같이 20살, 30살, 40살,

50살 ~ 80살, 90살, 100살... 나이를 먹었는데 극소수만 인생의 내공, 인생의 지혜가 다를까? 한 단어로 말을 할 수는 없지만 단언컨대 인생의 내공, 인생의 지혜를 얻기 위한 시행착오, 대가 지불, 인고의 시간을 90%의 일반 사람들 보다 100배는 자신이 시도하면서 극복했다는 것이다.

경험이 많다고 경력이 많다고 연차가 많다고 그 일에 대한 내공이 높아지지 않는다. 내공을 쌓기 위한 시도, 변화, 성장, 행동을 통해 시행착오, 대가 지불, 인고의 시간을 거칠 때 자신 분야 내공이 쌓이는 것이다. 내공, 지혜는 노력 없이 시간만 지나면 자연스럽게 먹는 나이처럼 생기는 것이 아니라 내공, 지혜를 쌓기 위한 어마어마한 행동이 있어야 된다는 것이다.

그런데 20,000명 심리 상담, 코칭 하면서 알게 된 것은 츄파춥스 강사들이 90%라는 것을 알았다. (츄파춥스 사탕: 사탕 머리는 큰데 사탕 손잡이는 가늘다. 머리만 커져서 이론만 알고 행동이 뒷받침이 되지 않는 개념 없는 강사.)
강사 2년 차만 넘어가면 강의를 잘한다는 착각 속에 빠져든다. 왜 그런지 아는가? 강사 5년 차 이하면 평균적으로 까다롭고 수준 높은 학습자를 상대하는 강의가 아닌 평균 수준인 학습자들 부류에서 강의를 주로 한다. (처음부터 수준 높은 강의를 시작하는 강사도 있긴 있다. 하지만 대부분 강사들이 경력이 없어서 까다롭지 않는 학습자부터 강의를 한다.) 수준 높은 학습자들은 5년 이상, 10년 이상 내공 있는 강사를 원한다.

평균 수준의 학습자 앞에서 강의를 많이 하다 보면 자신도 모르고 앞자리 병에 걸린다. (앞자리 병: 사람들 앞에서 말을 많이 하다 보면 마치 대단 한 사람이 된 것처럼 착각에 빠져서 강의, 스피치를 잘 하는 줄 아는 병)

평균 수준인 학습자와 교육 담당자에게 강의 잘 한다고 칭찬 몇 번 받은 것에 어깨 뽕이 올라가는 거만한 강사들이 많다. 수준 높은 학습자, 교육 담당자에게 강의 잘 한다고 칭찬을 받았더라도 마인드컨트롤을 유지하면서 더 겸손한 태도를 가져야 한다.

강사가 강의 잘한다고 듣는 게 칭찬인가? 당연한 거 아닌가? 의사가 환자치료 잘하는 게 잘하는 건가? 당연한 거 아닌가? 잘한다는 칭찬을 겸손하게 받아들이고 감정 컨트롤 하는 태도는 강사 내공에서 나온다는 것이다.

이 책 제목이 기억나는가? 《PPT로 책 출간》이다. 한 마디로 PPT를 통해 일하는 직업은 PPT를 활용해서 말을 하는 직업들이 많다. 그만큼 스피치 내공이 있어야 되는 것이다. 스피치 내공이 있어야 되는 직접적인 직업은 강사 직업이다. 그래서 강사 내공이 있어야 PPT 슬라이드 메모장에 슬라이드 내용 설명을 잘 쓸 수 있다.

슬라이드 내용 설명을 책으로 잘 쓰기 위해서는 강사 내공이 중요하다고 위에서도 강조했듯이 강사 내공이 없는 강사 10가지 유형, 강사 내공이 있는 강사 10가지 유형을 반드시 알아야만 책도 잘 쓸 수 있고 100만 강사들이 0순위로 바라는 것 중에 하나인 강사료를 올릴 수 있다고 확신한다. 다음에 나오는 10가지 유형을 반드시 기억하자!

* 강의 내공이 없는 강사 10가지 유형
1. 강사 시작 때 교육, 코칭으로 받았던 강의 교안 (PPT)을 1년, 2년이 지나도 이름만 바꿔서 사용하는 강사. 아무리 좋은 강의 교안을 받고 강의를 하더라도 강의를 하다 보면 자신 스타일이 있기 때문에 강의 교안 (PPT)을 수정하고 추가하며 다듬어야 되는데 기본적인 PPT조작법도 모르고 게을러서 전에 받았던 PPT교안을 1년, 2년... 10년이 지나도 그대로 쓰는 강사.

2. 강사 프로필 연도만 바뀌는 강사

강사 초보 때 만들었던 프로필 사진, PPT 디자인이 10년이 지나도 그대로인 강사. 프로필 사진, 디자인은 그대로 두고 새해가 되면 연도 글씨만 바꿔서 사용하는 강사. 코칭을 해보면 강사 프로필 자체가 선택받을 수 없는 프로필 디자인인데 프로필 경쟁에서 늘 안 된다고 원망만 하는 강사.

3. 강사 자신 분야 강의를 공부를 하지 않는 강사.

지금 빠르게 변하는 시대에 어떤 분야든 새로운 것이 생기고 사라지며 변하는데 몇 년 전에 했던 강의 내용으로 시대에 뒤떨어지는 내용으로 사람들 성향에 맞지 않는 강의 내용으로 강의하는 강사

4. 언행일치를 하지 않는 강사

강의 때만 이렇게 "해야 된다. 변화해야 한다. 노력해야 된다. 공부해야 된다. 겸손해야 한다."라는 말만 하고 강사 자신 생활 속에서는 하지 않고 일반 사람들처럼 똑같이 행동하는 강사. 강사는 준 공인이다. 강의 한 데로 살지 않으면 강의하지 않는 거와 같다. 강사가 먼저 보여 줘야 한다.

5. 시기, 질투, 삐짐, 감정컨트롤을 못하는 강사.

강사 5년 차가 강사 1년 차를 보고 시기, 질투하고 잘 삐지며 감정컨트롤이 되지 않아 표정관리 못하고 말을 함부로 하는 강사. 강사 10년 차가 강사 5년 차를 보면서 자신 밥그릇 뺏길까봐 이간질하고 어떡해서든 뒤담화 해서 주위 사람들 자신 편으로 만들려는 강사. 자격지심, 열등감이 많고 자존감, 멘탈이 낮아서 다른 강사가 강의 잘하는 거 같으면 자책하고 마인컨트롤이 되지 않아서 지금 자신이 해야 할 것을 못하는 강사.

학습자보다 강사가 자존감, 멘탈이 높아야 되지 않는가? 어떻게 강사가 학습자보다 자존감, 멘탈이 낮아서 학습자가 강의 중간중간에 시비 거는 말투에 자존감, 멘탈이 나가는가? 강사여 자존감, 멘탈 학습, 연습, 훈련을 학습자보다 더 해야 한다. 강의 준비는 당연히 해야 하고 강사 자존감, 멘탈 학습, 연습, 훈련은 필수인데 강사 자체가 자존감, 멘탈 공부를 어떻게 하는지 모른다. 강사 나이가 40대, 50대, 60대... 라면 나이에 맞는 자존감, 멘탈이 높아야 하는데 자존감, 멘탈이 낮아서 표정, 말투, 행동에서 보인다면 가장 쪽팔리고 자존심 상하는 것이다.

6. 자신 강의 내용이 뻔한 내용인지, 신선한 내용인지,

학습자들이 많이 알고 있는 내용인지, 학습자들이 모르고 있는 내용인지 모르는 강사(대상 파악을 전혀 못하는 강사) 강사 일을 생각 없이 하는 강사가 많다. 직업군별 심리, 학습자별 심리에 맞춰 강의 주제가 같더라도 예시, 스토리텔링 등이 달라야 하는데 직업군, 학습자 심리를 전혀 생각하지 않고 자주 하던 강의에 맞춰서 강의 하는 강사. 자신의 강의를 학습자에게 필요한 강의 스타일을 맞춰서 강의를 해야 하는데 "학습자가 강사에게 무조건 맞춰야지"라는 태도로 강의하는 강사.

노년층 강의 내용을 젊은 층에 가서 그대로 강의하는 강사. 학생 강의를 성인층에 그대로 강의하는 강사. 그래서 프로필에서 학생 강의를 많이 하는 강사 같으면 성인 강의를 의뢰하지 않는다. 성인 강의를 많이 하는 강사 또한 학생 강의를 의뢰하지 않는다. 강사 경력이 5년 이상이라면 학생 강의 분야로 갈 것인가 성인 강의 분야로 갈 것인가 확실히 방향을 잡고 집중해야 한다.

한 분야에 집중해도 될까 말까 인데 "강의가 없어서 들어오는 데로 합니다. 강사 10년 차인데 학교 강의(1시간 강사료 3만 5천 원 ~ 10만 원)라도 가야죠."라는 태도로 한다면 강사료를 올릴 수 없고 강사 20년 차 되더라도 강사 몸값이 20만 원을 넘지 못한다. 20,000명 심리 상담, 코칭으로 알게 된 강사 현실은 냉정하다는 것을 알았다. 정신 바짝 차려라! 직장이 전쟁터면 강사 직업, 프리랜서는 지옥이다.

내공이 느껴지지 않는 강의를 듣는 청중들의 평균 심리. "뻔한 내용, 강의, 이런 내용의 강의는 나도 강의할 수 있겠다. 재미도 없고, 스토리도 없고, 메시지도 없고... 강사 개나, 소나, 닭이나 다 하는구만. 주제에 깊이도 없고 신선함도 없으며 거기서 거기인 강의... 시간이 아까워서 더 이상 듣기 싫다."

내공이 느껴지는 강의를 듣는 청중들의 평균 심리.
"기존에 알고 있는 내용인데 새롭게 느껴진다. 다른 관점으로 보게 만드는 강의 스킬 대단하다. 이 강사 강사료 따로 챙겨주고 싶을 정도의 가치를 느낀 강의다. 어떻게 저런 생각을 할 수 있을까? 깊이가 다르고 통찰력이 있는 강사다. 지금까지 수 십 번 비슷한 강의를 들었지만 차원이 다른 강의다. 즐거움, 메시지, 스토리텔링, 감동, 실천 동기부여 도구까지 주는 1＋4를 가져가는 가성비 강사, 시간 가는 줄 몰랐네. 더 듣고 싶은 강의다."

강사 15년 / 강의 6,000회를 통해 알게 된 교육 담당자, 학습자가 바라는 강사

Google 자기계발아마존 　▶YouTube 방탄자기계발　 NAVER 방탄자기계발사관학교　 NAVER　 최보규

1. 가성비 강사 (1+4)
강의 시간 속에 즐거움, 메시지, 스토리텔링, 감동, 실천 동기부여를 해주는 강사

2. 스펙, 강사료 값어치를하는 강사
지금까지 들었던 강사와 다른 내공, 가치, 값어치가 다르게 느껴지는 강사

3. 실천할 수 있는 강의 사용 설명서를 주는 강사
강의 때 배운 것들 강의 끝난 후 활용할 수 있는 사용 설명서(도구)를 주는 강사

최보규 강사의 차별화 강의가 아닌 초월 강사

1. 가성비 강사가 되기 위해 강사 15년간 2,000권 독서 / 7,000개 메모 / 자기계발서 100권 출간을 통한 메시지, 스토리텔링 강의.

2. 학습자가 봤을 때 "이런 강의는 나도 하겠다."라는 말을 듣지 않고 쓰리 값(나이값, 스펙값, 강사료값)어치를 하기 위해서 강사 11계 명 실천으로 80억 분의 1 검증된 전문가 다운 강의를 하는 강사.

3. 교육, 강의가 끝난 후에 생활 속에서 실천 동기부여를 할 수 있는 도구, 사용 설명서(강사 사비 제작)를 통해 변화, 성장할 수 있게 해주는 강사.

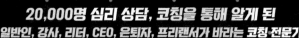

1. 가성비 코칭
변화, 성장, 자신 분야 연결을 통해 제2수입,
제3수입 까지 발생시킬 수 있는 코칭

2. 시간, 돈 낭비를 하지 않는 코칭
검증이 되지 않는 코칭에 속아 시간과 돈 낭비
를 줄여서 빠른 수입 창출 코칭

3. 코칭, PT 받은 후
A/S, 피드백, 관리를 해주는 코칭
혼자 스스로 할 수 있을 때까지, 자리 잡을 때까
지 멘토가 되어 주는 코칭

최보규 전문가의 차별화 코칭(PT)이 아닌 초월 코칭(PT)

1. 가성비 코칭을 해주기 위해서 자신 분야와 6가지 수입 창출하는 방법을 연결시킬 수 있는 기술력을 체계적으로 교육하는 코칭.

2. 특허청 등록: 제 40-2072344 호 [최보규 자기계발코칭 창시자] 매뉴얼, 시스템이 검증된 전문가로서 시간과 돈 낭비를 줄여주는 코칭.

3. 청출어람 사명감으로 150년 A/S, 피드백, 관리를 해준다는 우주 최강 책임감으로 멘토가 되어주는 코칭.

7. 교수, 선생님처럼 이론 수업을 하는 강사
(오해하지 말고 봤으면 한다. 교수, 선생님 스피치를 무시하는 게 아니다.)

교수, 선생님들은 시험, 학점을 때문에 하루하루 진도를 나가야 되는 직업이다. 그래서 이론적인 수업 위주로 흥미, 호기심, 즐거움, 메시지, 스토리텔링...보다는 진도를 빼기 위한 이론 수업을 할 수 밖에 없는 직업이다. 강사들은 1시간 ~ 2시간 안에 모든 것을 전달해야 한다. 강사료를 받으면 강사료 값어치를 해야 한다, 하지만 강의 스킬, 내공이 없으니 강의를 하는 것이 아니라 수업을 해버린다. 그래서 강의가 지루하고 따분하며 강의가 거기서 거기라고 말이 나오는 것이다.

8. 강사 경력, 강사 이력, 강사 스펙, 강사 실력, 강사 내공이 없으면서 강사료를 많이 받고 싶어 하는 강사.
평균적으로 한 달에 1시간 강의, 10만 원 이하 강의를 10건 이상 한다면 10만 원 이하 강사이다.
모든 것을 강사료로 강사 몸값을 판단을 할 수는 없지만 극단적으로 말을 하면 많이 받는 강사료 수준이 강사 몸값이라는 것이다. 하지만 90%의 강사들이 10만 원 이하 강의를 하면서 50만 원 강의, 100만 원 강의를 하고 싶어 한다. 10만 원 이하 강의만 10년째 하면서 어떻게 50만 원, 100만 원 강의를 할 수 있다고 말하는가? 어디서 근자감(근거 없는 자신감)이 나오는지 대단하다.

강사료를 적게 준다고 뒷담하기 전에 자신이 강사료 50만원, 100만 원 받을 수 있는 자격이 있는지 생각하고 그에 맞는 능력을 키워야 한다. 강사료 50만 원, 100만 원 받을 수 있는 스펙도 되지 않으면서 강의 내공도 없으면서 자신 주제 파악도 안 되면서 학습자에게는 "능력을 키워야 한다."라는 강의를 하는가? 제발 정신 좀 차려라! 필자의 멘티였으면 3시간 정신 교육 받았을 것이다. 이 글을 보는 강사 양성교육을 하는 강사라면 제발 강사 인성에 신경 썼으면 좋겠다.

나쁜 강사는 없다! 강사 양성교육을 제대로 하지 않고 돈만 벌기 위해서 강사 양성교육하는 나쁜 강사만 있다. 나쁜 견주는 없다! 댕댕이, 냥냥이를 위해 공부하지 않아서 나쁘게 키우는 보호자만 있다.

나쁜 직원은 없다! "위치가 사람을 만드는 거야"라는 태도로 리더십이 알아서 생기는 줄 알고 리더십 학습, 연습, 훈련을 하지 않는 나쁜 리더만 있다.

지금 시대는 위치가 사람을 만드는 것이 아니라 리더십 학습, 연습, 훈련하지 않으면 위치가 사람을 망친다는 것을 명심하자!

강사 인성을 매뉴얼이 없는가?

강사 인성 매뉴얼 사용 설명서 코칭을 받아야 한다. 강사 직업의 시작은 강사 인성에서부터 시작된다. 강사 인성 매뉴얼 교육, 코칭을 할 줄 알면 강사 양성교육 분야에서 만큼은 강사의 신이 된다. 단언컨대 대한민국에서 강사 인성 매뉴얼 사용 설명서를 교육, 코칭 하는 사람은 최보규 방탄강사 코칭전문가 뿐이다.

방탄강사 코칭 할 때 강사 인성 11계명을 설명하면서 늘 하는 말이 있다. 강사는 준 공인이다. 강의 때만 멋져 보이고 대단해 보이는 사람이 아닌 강사 생활 속에서도 주위 사람들에게 만나는 사람들에게 SNS 속에서도 "강사님은 제가 좋은 사람이 되고 싶도록 만들어요." 라는 말을 들을 수 있는 강사가 되어야 한다. 이것이 강사의 사명이고 강사의 삼성(진정성, 전문성, 신뢰성)이다. 강사를 SNS만 보더라도 그 강사가 자신 분야 강의를 삼성(진정성, 전문성, 신뢰성)으로 하는지 안하는지 보인다.

9. 책을 안 보는 강사

방탄강사 코칭을 할 때 1,000명이면 1,000명에게 늘 질문받는 게 있다. "최보규 방탄강사 코칭전문가님 강의 내공을 어떻게 쌓아야 되는지요."

곰곰이 생각해 보자. 내공이 무엇인가? 그 분야에 깊이, 숙성, 자신 분야 목표, 자신 분야 방향, 꿈, 이루고 싶은 것, 다르게 보는 관점, 남과 다른 방향 제시, 남과 다르게 이해시키는 능력, 자신감 넘치는 눈빛, 밝은 표정, 자기관리로 인해서 나오는 이미지, 생동감 넘치는 표현력, 삼성(진정성, 전문성, 신뢰성)이 느껴지는 스피치, 두루뭉술하게 말하는 것이 아니라 머리에 그림이 그려지게 하는 표현력, 자신 전문 분야 2 ~ 3권 책 출간... 등을 내공이라고 말하고 싶다.

강사가 강의 내공을 쌓기 위한 여러 가지 행동들의 시발점은 책 읽기라는 것이다.

독서와 강의 내용 짙은 비례한다. 독서와 강의 내용은 비례한다. 당연한 결과이다. 책을 많이 보는 강사와 책을 안 보는 강사의 강의를 10분만 들어봐도 알 수 있다. 책을 안 보는 강사들은 공식처럼 PPT 교안만 보고 앵무새처럼 강의를 한다. 책을 보지 않으니 새로운 것이 나올 수가 없다. 새로운 강의 교안을 만들지 않으니 강의 PPT 교안 또한 재탕, 3탕, 4탕, 5탕, 탕탕탕... 10년 동안 교안이 바뀌지 않는 것은 당연한 것이다. 강의 교안이 10년 동안 바뀌지 않는다고 강사 일을 못하는 건 아니다. 하지만 강사료를 올리려면 하던 방식으로 하면 안 된다는 것이다. 책을 무조건 본다고 강사 내공이 생

기고 강사료를 올릴 수 있는 스펙이 만들어지는 것은
아니지만 강사 내공을 쌓고 강사료를 50만원, 100만원,
200만 원 올렸던 강사들은 책을 99% 본다는 것을 명심
하자.

책을 보면 강사료가 올라가서 꿈을 이루고 메모를 하면
현실이 된다. 그 결과를 이미지로 확인하길 바란다.

책150권 출간   상담 17,000회   코칭 13,000회   강의 경력 6,200회

Google 자기계발아마존   YouTube 방탄자기계발   NAVER 방탄자기계발사관학교   NAVER   최보규

N 최보규

네이버 인물정보 등록 34만 명! (2016년 기준)
대한민국 1% 미만 "네이버 명예의 전당" 인물정보 등록!

전체   프로필   최근활동   도서

프로필   →

소속   방탄자기계발사관학교/방탄북
(BOOK)출판사(대표)

수상   2016년 제1회 세계를 빛낸 천
사상 대상

경력   방탄자기계발사관학교/방탄북
(BOOK)출판사 대표
방탄자기계발사관학교 대표
2012.05~2016.06 사랑의전화 전화상담 자원
봉사자
2014.11 행복사관학교 대표

사이트   유튜브, 블로그, 네이버TV, 페이스북, 공식홈페
이지

작품 ★ 도서 108건, 관련활동

10. 현실은 점점 어려워지는데 탓만 하며 준비를 하지 않는 강사.

지금 3고(고금리, 고환율, 고유가)시대, AI 시대, 챗 GPT 시대... 빠르게 변하는 시대 속에서 삶이, 인생이, 금전적으로 더더더더더 어렵고 힘들어지는 시대에 살고 있다. 한마디로 한 분야 전문성으로도 힘든 시기다. 강사 직업만으로는 힘든 시기인데 강사료 탓, 코로나 탓, 전쟁 탓, 나라 탓, 정치인 탓, 물가 탓, 부모 탓, 남편 탓, 아내 탓, 자녀 탓, 스펙 탓, 돈 탓... 등 탓만 하면서 강사 직업을 다른 분야와 연결시켜 수입을 발생시키려는 준비, 행동을 하지 않는 강사.

강사 직업으로만 살아가기가 힘든 시대다. 강사 직업을 떠나서 모든 직업군들이 마찬가지 일 것이다. 이런 환경에서 누군가는 탓만 하면서 하루살이 인생처럼 마지못해 살고 누군가는 강사 직업과 6가지 수입을 창출하는 연결 고리를 만들어 강사 직업을 극대화하고 있다.

강사여 정신 차리자! 자극이 필요한 모든 사람들 정신 차리자! 지금이라도 늦지 않았다. 이 책을 보고 있는 강사? 일반 사람? 리더? 한 분야 전문가? 프리랜서?... 천 세일우가 온 것이니 이 책에서 알려주는 방법, 방향 제시를 자신 분야와 접목시켜 시작하면 된다.

혼자 하기 힘들다면 150년 함께해주는 최보규 방탄강사

코칭전문가와 함께 하면 된다. 지금 바로 상담받길 바란다. <최보규 방탄강사 코칭전문가 010-6578-8295>
또 이런 생각을 하고 있을 것이다.

"전화번호 저장해 두었다가 내일 상담 받아야지? 다음에 받아야지?"라는 말을 하는 순간 당신은 당신의 게으름에 졌고 영원히 상담을 받지 않을 것이다. 지금처럼 살 거면 책 덮고 잠이나 자는 게 낫다. 지금부터 살 거면 지금 상담 받길 바란다.

* 강의 내공이 있는 강사들 유형

- 긍정적인 사람이 되는 것보다 부정적인 사람이 안 되는 게 1,000배를 효과가 좋다. 한마디로 강의 내공이 없는 강사들 유형 10가지를 하지 않으면 되는 것이다.
강의 내공이 없는 강사들 10가지 유형을 하지 않기 위한 학습, 연습, 훈련하고 싶다면 방탄강사 코칭을 받길 바란다. 강사들의 방탄강사 멘토가 되어 150년 A/S, 관리, 피드백 해주겠다.

슬라이드 노트에 슬라이드 내용 설명을 잘 쓰려면 강의 내공이 있어야만 머리에 그려지는 설명을 잘 쓸 수 있다는 것이다.

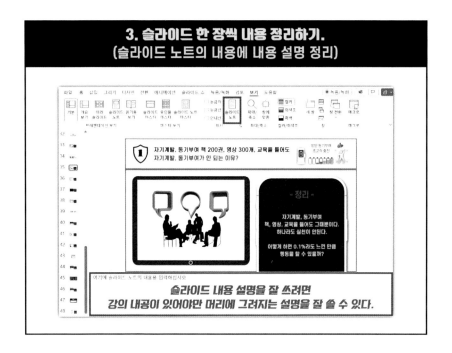

다음으로 나오는 방탄동기부여 강의, 교육, 코칭 목차1
~ 목차5 에 있는 슬라이드 설명을 한글(HWP) 원고로
작업했던 것을 참고하면 책 내용은 어떻게 써야 되는지
감이 올 것이다.

동기부여
고.룰.선.편 깨기
고정관념, 틀, 선입견, 편견

자기계발, 동기부여책 200
권, 영상 300개, 교육을 들
어도 자기계발, 동기부여가
안 되는 이유?

-상담 스토리
자기계발 책 200권 이상을 보고 유튜브 동기부여, 자기계
발 영상 300개 이상 봤습니다. 유료 자기계발 교육, 영상들
도 많이 봤습니다. 느낀 만큼 실천 동기부여가 안 돼서 시
간, 돈 낭비한 거 같고 언제까지 해야 하는지 답답하기만 하
고 후회스럽습니다. 어떻게 하면 0.1%라도 느낀 만큼 행동
을 할 수 있는지요?

- 정리 -

자기계발, 동기부여
책, 영상, 교육을 들어도 그때뿐이다.
하나라도 실천이 안된다.

어떻게 하면 0.1%라도 느낀 만큼
행동을 할 수 있을까?

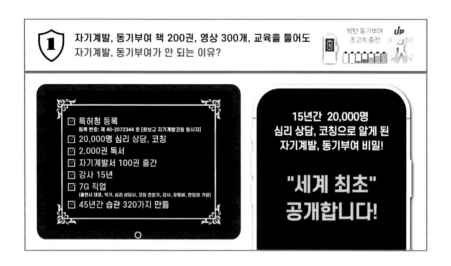

- 상담스토리

최보규 방탄 리더 자기계발 전문가님! 저는 자기계발 책 200권 이상을 보고 유튜브 동기부여, 자기계발 영상 300개 이상 봤습니다. 시중에 있는 유료 자기계발 교육, 영상들도 많이 봤습니다. 볼 때만 느끼고 느낀만큼 실천 동기부여가 안 돼서 시간, 돈 낭비한 거 같고 언제까지 해야 하는지 답답하기만 하고 후회스럽습니다. 왜 나아짐이 없는지 이유를 알고 싶고 어떻게 하면 느낀만큼 0.1% 하나라도 실천할 수 있는 방법은 없는지요?
어떻게 하면 느낀만큼 행동으로 옮길 수 있을까요?

20,000명 심리 상담, 코칭 하면서 알게 된 것은 대부분

사람들이 늘 그때뿐이고 실천 동기부여가 안 돼서 돈과 시간을 낭비하고 있는 게 현실이다.

10개를 느꼈다면 하나라도 실천해야 하는데 왜? 왜? 왜? 실천 동기부여가 안 될까? 어떻게 하면 자기계발 실천을 잘 할 수 있을까? 필자도 리더 자기계발 전문가가 되기 전까지는 늘 그때뿐인 자기계발을 했었다.

"어떻게 하면 할 수 있을까?" 라는 태도로 45년간 리더 자기계발 습관 320가지! 20,000명 심리 상담, 코칭! 리더 자기계발책 2,000권 독서! 자기계발 책 100권 출간으로 알게 된 리더 자기계발, 동기부여 비밀을 세계 최초 오픈한다.

방탄 동기부여 목차 2

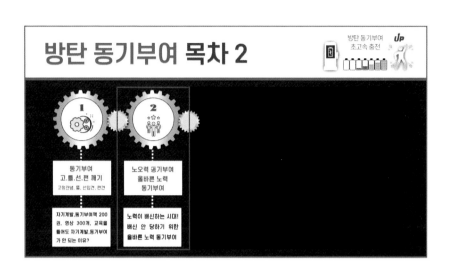

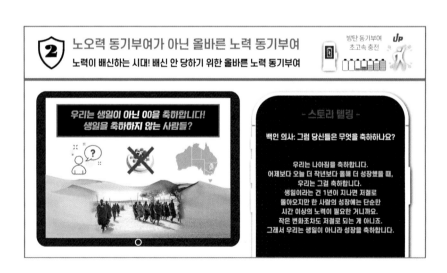

생일을 축하하지 않는 부족

가로 4,000km, 세로 3,200km, 총면적 768만㎢ 드넓은 호주 대륙을 걸어서 횡단하는 원주민이 있다. 그 어떤 음식도 물건도 없이 빈손으로 출발해 자연에서 모든 것을 얻어 생활하는 오스틀로이드 부족(그들은 스스로를 참사람 부족이라고 부른다) 그리고 그들에게는 남다른 풍습이 하나 있다.

바로, 생일을 기념하지 않는 것. 한 백인 의사가 그들과 함께 호주를 횡단하며 생일 파티에 대한 얘기를 들려주었을 때 그들은 고개를 갸웃거렸다. 생일을 왜 축하하는 거죠? 축하는 특별한 일이 있을 때 하는 것 아닌가요? 의사는 대답했다.

한 생명이 태어났다는 사실은 축복받을 만한 일이니까요! 음, 탄생의 순간은 분명히 특별하죠. 그런데, 나이를 먹는 것도 특별한 일일까요? 나이를 먹는 데는 아무런 노력도 필요하지 않잖아요. 그건 그냥, 저절로 되는 거죠. 의사는 자신도 모르게 고개를 끄덕였다. 나이가 들어가며 점점 더해지는 의무감에 마음이 무거워졌던 기억도 떠올랐다. 잠시 고민하던 의사는 그들에게 되물었다.

그럼, 당신들은 무엇을 축하하나요? 그들은 입 끝에 옅은 미소를 지으며 대답했다. 우리는 나아짐을 축하합니다. 어제보다 오늘 더 작년보다 올해 더 성장했을 때, 우리는 그걸 축하합니다. 생일이라는 건 1년이 지나면 저절로 돌아오지만 한 사람의 성장에는 단순한 시간 이상의 노력이 필요한 거니까요.

작은 변화조차도 저절로 되는 게 아니죠. 그래서 우리는 생일이 아니라 성장을 축하합니다. 크고 작음은 상관없습니다.
작은 변화라고, 작은 한 걸음이라도 상관없으니 여러분도 생일 말고 성장을 축하해 보세요. 고민 끝에 드디어 하고 싶은 일을 찾았다고 말하는 친구의 새로운 한 걸음을 축하하고 처음으로 혼자 심부름을 다녀온 막내의 용감한 한 걸음을 축하해 보는 거죠. 작은 한 걸음이더라도, 그 성장을 함께 축하해 본다면 매일 매일을 생일처럼 보낼 수 있지 않을까요?
<참사람, 오스틀로이드 부족의 이야기>
<유뷰브 열정의 기름붓기>

자기계발, 동기부여 하는 이유는 각자 다르지만 대부분 자기계발, 동기부여의 목적인 결과, 성공, 인정에 너무 집착하다 보니 꾸준히 못 하는 경우가 많다. 세상, 현실,

주위 사람들의 기준, 시선에 너무 의식한 자기계발, 동기부여가 아닌 사소한 것이라도 어제보다 0.1% 나아짐, 변화, 성장이 방탄자기계발, 방탄동기부여다. 이제는 자기계발, 동기부여도 자신의 만족으로만 끝나면 안 된다. 빠르게 변하는 시대, 흐름에 맞게 자신 분야+ 자기계발+ 삼성(진정성, 전문성, 신뢰성)+ 돈 연결(월세, 연금성 수입)+ 성장+ 변화+ 사람들에게 도움+ 함께 잘 살자가 융합이 될 수 있는 자기계발, 동기부여인 방탄자기계발, 방탄동기부여를 해야 한다.

② 노오력 동기부여가 아닌 올바른 노력 동기부여
노력이 배신하는 시대! 배신 안 당하기 위한 올바른 노력 동기부여

노오력하면 대체되지만 올바른 노력하면 대체 불가능한 사람이 된다.

자신 분야 대체 가능한 사람!

자신 분야 대체 불가능한 사람!

② 노오력 동기부여! 올바른 노력 동기부여!

나이는 노력 없이도 먹는다. 노오력 동기부여!

| 100일 | 13살 | 19살 | 23살 | 29살 | 45살 |

어제보다 0.1% 나음, 변화, 성장은 올바른 노력 동기부여!

| 0% | 0.1% | 1% | 5% | 10% | 30% | 35% | 50% | 70% | 80% |

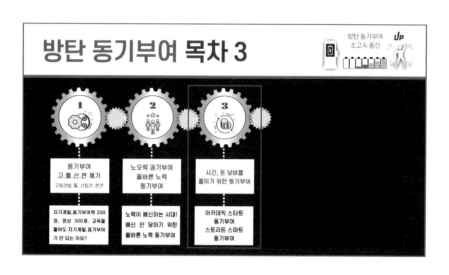

방탄 동기부여 목차 3

방탄 동기부여
초고속 충전

1
동기부여
고.틀.선.편 깨기
고정관념, 틀, 선입견, 편견

자기계발,동기부여책 200
권, 영상 300개, 교육을
들어도 자기계발,동기부여
가 안 되는 이유?

2
노오력 동기부여
올바른 노력
동기부여

노력이 배신하는 시대!
배신 안 당하기 위한
올바른 노력 동기부여

3
시간, 돈 낭비를
줄이기 위한 동기부여

아카데믹 스타트
동기부여
스트리트 스마트
동기부여

3 본질을 모르면 시간, 돈 낭비를 한다!

방탄 동기부여
초고속 충전

올바른 헬스, 운동 동기부여 **헬스, 운동 본질**	헬스, 운동의 기본기를 배우지 않는 사람이 좋은 헬스장으로 옮긴다고 헬스, 운동 습관이 만들어지는 것이 아니다.
올바른 직장, 일 동기부여 **직장, 일 본질**	월급 날짜만 기다리는 사람이 직장을 바꾼다고 일에 대한 의욕이 생기지 않는다.

올바른 연애, 사랑 동기부여
연애, 사랑 본질

올바른 인간관계 동기부여
인간관계 본질

평상시에 사랑받을 행동을
안 하는 사람은 사랑하는
사람이 생겨도 사랑받을 수가 없다.

내가 좋은 사람이 되기 위해
인간관계 학습, 연습, 훈련을
안 하면 좋은 사람이 생겨도
금방 떠나간다.

올바른 자기계발 동기부여
**자기계발 본질
동기부여 본질**

올바른 리더십 동기부여
리더십 본질

"어제 보다 0.1% 나은 사람이 되자."
라는 태도로 꾸준히
자기계발, 동기부여하지 않으면
시간, 돈 낭비를 한다.

경력, 나이를 내세우면서
시대에 맞는 리더십으로
업데이트하지 않으면
리더십이 아닌 꼰대십이 나온다.

본질을 모르면 시간, 돈 낭비를 한다!

		올바른 헬스, 운동 동기부여. 헬스, 운동 본질
		올바른 직장, 일 동기부여. 직장, 일 본질
		올바른 연애, 사랑 동기부여. 연애, 사랑 본질
		올바른 인간관계 동기부여. 인간관계 본질
		올바른 자기계발 동기부여. 자기계발 본질
		올바른 리더십 동기부여. 리더십 본질

**본질(기본기)이
되어 있지 않으면
시간, 돈, 인생 낭비가 되어
악순환이 반복된다.**

인간이 하는 모든 것의 본질을 알아야만 노오력이 아니라 올바른 노력을 할 수 있다. 노력은 경험만 채우고 시간만 때우는 노력이다. 지금 시대는 노력이 배신하는 시대다.

올바른 노력은 어제보다 0.1% 다르게, 변화, 나음, 성장하는 것이다.
인생의 모든 본질은 정답이 없지만 기본을 지키지 않으면 결과가 나오지 않는다.

운동의 본질은 헬스, 운동의 기본기를 배우지 않는 사람이 좋은 헬스장으로 옮긴다고 헬스, 운동 습관이 만들어지는 것이 아니다.

직장의 본질은 월급 날짜만 기다리는 사람이 직장을 바꾼다고 일에 대한 의욕이 생기지 않는다.

사랑의 본질은 평상시에 사랑받을 행동을 안 하는 사람은 사랑하는 사람이 생겨도 사랑받을 수가 없다.

인간관계의 본질은 내가 좋은 사람이 되기 위해 학습, 연습, 훈련을 안 하면 좋은 사람이 생겨도 금방 떠나간다.

자기계발 본질은 "어제 보다 0.1% 나은 사람이 되자."라는 태도로 꾸준히 안 하면 시간, 돈 낭비를 한다.

리더십의 본질은 경력, 나이를 내세우면서 시대에 맞는 리더십으로 업데이트하지 않으면 리더십이 아닌 꼰대십이 나온다. 리더십의 본질은 리더 자존감, 리더 멘탈, 리더 습관, 리더 행복, 리더 자기계발에서 시작한다.

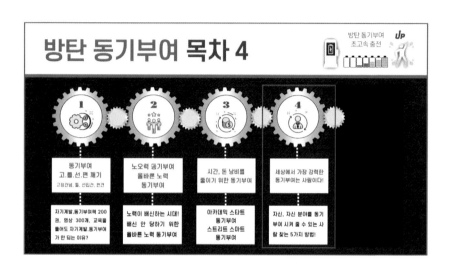

타이로페즈(5만원으로 600억을 만든 사람)

타이로페즈는 미국의 사업가이자 강연가로 유명합니다. 그는 한화 오만원의 재산을 수백억대로 불렸고 그의 TED톡 영상은 수백만명이 봤습니다. 그런 그가 그 자리게 오를 수 있었던 가장 큰 이유 두가지를 공유합니다.

멘토가 필요하냐구요?

책을 읽어야하냐구요?

겁나 많은 의견들이 있어서 뭘 믿어야 할지 모르겠죠? 제가 한마디 하죠. 누군가가 저에게 해준 말인데 사람은 거짓말을 하지만 숫자는 진실을 말한다. 헷갈리면 숫자를 보세요. 내말을 듣지 말고 남들 말도 듣지 말아보죠. 그냥 숫자를 검색해 봐요. 겁나 쉽습니다. Forbes 리스트를 보세요. 세상 가장 성공한 기업가들 리스트죠. 그 사람들이 멘토가 있었을까? 책을 읽었을까? 내가 읽어줄게요. 그럼! 오마이갓! 내가 존경하는 사람들인데 리스트에 몇 명을 말해볼게요.

빌게이츠 멘토 = 책, Ed 로버츠

오프라윈프리 멘토 = 책, 메리던킨

스티브잡스 멘토 = 책, 로버트 프리드랜드

워렌버핏 멘토 = 책, 벤저민그레이엄

마이클조던 멘토 = 책, 필잭슨

마크저커버그 멘토 = 책, 스티브잡스

리스트에 모두가 멘토가 있었어요. 누가 누구의 제자였는지요. 작년에 코비 브라이언트랑 같이 앉아서 경기를 봤는데 그와 라커룸에서 대화를 했어요. 비디오로도 찍었는데 내가 물어봤죠. "코비, 너 멘토 있었어?" 바로 답하더군요. "타이, 멘토가 가장 중요해." 코비는 많은 부류의 멘토가 있더군요. 마이클 잭슨도 코비에게 조언을 해줬대요. 디즈니의 CEO를 멘토로 만나는 등 각기 다른 멘토들요. 알버트 아인슈타인도 마찬가지에요. 인류 역사상 가장 위대한 천재도 멘토가 있었어요. 십대 때부터 매주 목요일 멘토의 가족들과 함께 점심을 먹었죠. 대화하며 수학과 물리학을 배웠어요. 당신이 누군지 모르겠지만 저는 아인슈타인보다 똑똑하지 않아요.

만약 그들이 멘토가 필요했다면 저는 더욱 필요하다고 느껴요. 역사를 돌아봐도 마찬가지에요. 위대한 정복자 알렉산더 대왕도 멘토가 있었어요. 15세때 그의 아버지가 위대한 철학자 아리스토텔레스를 고용해 아들과 같이 여행해달라고 부탁하죠. 아리스토텔레스는 그렇게 그를 가르쳤어요. 아리스토텔레스의 놀라운 사실은 그는 철학자 프라토의 멘티였어요. 플라토는 소크라테스를 멘토로 두었죠. 연결고리가 보이시나요? 스티브 잡스도 멘토를 두고 있었지만 결국 자신도 누군가의 멘토가 되었죠. 멘토는 조언만 해주는 사람이 아니라 동기부여도 해

줍니다. 세계 최고의 기업들이 바로 이렇게 탄생했다구요. 학습의 방법은 단 두가지에요. 누군가에게 직접 배우던가 누군가가 쓴 책이나 영상으로 배우죠. 그게 다입니다. 한글, 수학 어떻게 배웠어요? 누워서 배워야지 생각만 하니까 배워졌어요? 누군가는 말하겠죠. "타이, 만약 멘토링과 책을 읽는데 행동을 안하면 어떻게 돼?"

당연히 행동도 해야죠. 지하방에 박혀서 책읽고 유튜브에 동기부여나 멘토 영상만 본다고 되겠어요? 하지만 한가지 더 열심히만 행동, 일하면서 똑똑하게 일하지 않으면 마찬가지로 얻는건 별로 없을겁니다.

예를 들어보면 누가 더 열심히 일할까요? 일용직 노동자와 스티브 잡스 혹은 일론머스크 중에서요. 물론 일용직 노동자는 꼭 필요해요. 그분들을 욕하는게 아닙니다. 하지만 성취한 수확물을 보면 열심히 보다 똑똑하게 일하는게 더 큽니다.

포브스 리스트를 봐요 최고 부자 리스트 아마존 창업자 제프베조스는 아이러니하게도 책관련 사업으로 시작했죠. 그는 책을 엄청 읽어요. 특히나 그의 샘월튼의 자서전은 거의 인생에 멘토가 되었고 얼마나 많이 읽었는지 페이지들이 다 낡았더군요. 제프는 세계 3위 부자에요. 나는 제프에게 상대가 안되죠. 그런데 그가 책과 멘토가 필요하면

나에겐 더 필요한 존재들이죠. 때로는 나도 일을 미뤄

요. 그리고는 읽는 책들 자서전들의 조언을 생각하죠. 혹은 직접 만나서 들은 조언들요.

일론머스크가 뭐라고 했는지 알아요? 제가 물었어요. "일론, 어떻게 스페이스 X를 창업했어?" "우주선 분야에는 경험도 없었잖아" "페이팔 경력밖에 없었을 텐데" 그가 대답하길 "책으로 다 배웠어." "수 많은 책을 읽었지."

이렇듯 책은 비대면 멘토에요. 사람이 아니니까요. 하지만 효과는 동일합니다. 그 책의 작가가 멘토가 되는거에요. 나는 알아. 모두가 스티브잡스가 되길 원하진 않겠죠. 아인슈타인처럼 될 필요는 없어요. 제가 하는 말은 그게 아니라 나는 뭘 배우더라도 큰 일을 해낸 사람에게 배우고 싶은 거에요. 당신이 정하세요. 누구에게 배우고 싶은 지를요. 저에 경우는 꼭대기에 있는 사람들이죠. 그리고 위대한 사람들은 항상 위대한 멘토를 가졌죠. 그리고 그들은 책을 읽어요. 마크 큐반이 제 집에서 해준 말이에요. 그는 샤크탱크라는 회사의 CEO이자 억만장자입니다. 제가 묻길 "마크, 너 책 많이 읽어?" 그는 "타이, 너 그거 알아?" "내가 LA공항에 지금 날 기다리는 전용기를 산 이유가 바빠서 못했던 독서를 누구의 방해도 받지 않고 더 하기 위해서야"

마크가 500억 짜리 전용기를 산 이유가 책을 더 읽기 위해서 라구요. 워렌버핏도 비행기에 타면 아무도 말을 못걸게 한 대요, 독서하려고 사람과 다르게 숫자는 거짓말을 안하다니까요. 열심히만 일하지 말고 똑똑하게 일하세요. 도구를 가지고 효율적으로 일하세요.

무엇이 빌케이츠를 16년 연속 세계 최고 부자로 만들었을까요? 그는 휴가를 독서하러 가고 그는 책이 주제인 블로그도 운영하죠. 그의 한마디가 정말 충격적이었는데 말하길 "나는 참 게을러요. 그래서 남들과 달리 머리를 써서 쉬운 방법을 찾죠. 그리고 가지고 싶은 슈퍼파워가 속독" 그가 시간을 쓰지 않는다는 게 아니에요. 시간은 무조건적으로 써지는 거죠. 하지만 시간을 쓰는게 목표가 아니라 적은 시간동안 많은 일을 끝내는거죠. 일은 반만 하는데 결과는 두배를 만드는 게 목표라는거에요. 그리고 그 방법은 단 한가지 머리는 써야하는 겁니다. 그게 당신을 위대하게 할거에요. 그러기 위해 위대한 멘토를 찾고 더 많이 읽는거죠. 내말 믿어요. 그리고 틀린지 시도해보세요. 못믿겠으면 직접 시도해보라니까요. 그리고 결과가 맘에 안들거나 도움 안되는거 같으면 그만두면 되죠. 각자 배우는 방식은 다를 수도 있느니까요. 하지만 열명 중 아홉의 위대한 사람들은 멘토가 있거나 책에서 멘토를 찾죠.

그러니까 믿져야 본전인거 확률을 믿고 해보세요. 멘토와 독서는 성공확률을 극대화시켜요. 이게 보증된건 아니죠. 왜냐하면 행동도 해야하니까요. 배운걸 써야 한다는 거에요. "그딴거 필요 없고, 내가 최고야?"라고 한다면 당신 겸손함에 문제가 있는거에요. 위인들이 필요한데 당신이 필요없다고? 아인슈타인도 멘토가 필요했고 뉴턴도 자기가 대단한 이유는 대단한 스승들이 있었기에 가능했다는데 음... 근데 당신이 멘토가 필요없다고? 말 안해도 미래의 통장잔고가 보이네요.

<유튜브 터닝포인트 – 위대한 성공의 시작점>

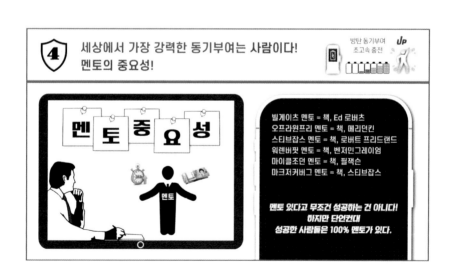

최보규 방탄동기부여 전문가의 멘토는 3명이다. 첫 번째 아내, 두 번째 책, 세 번째 자신 습관(최보규 습관 320 가지)이다.

최보규 방탄동기부여 전문가의 첫 번째 멘토는 아내다.

최보규라는 사람을 가장 잘 아는 사람은 아내다. 내가 보지 못한 미세하고 디테일 함을 체크해주고 피드백 해준다. 그 누구도 할 수 없는 것을 그것도 공짜로 해주는 고마운 멘토다. "사랑하는 아내는 내가 좋은 사람(부모, 사위, 아들, 남편, 매형, 오빠, 형, 동생, 남자)이 되고 싶도록 만든다." 세상에서 가장 존경하는 멘토는 아내다.

말만 잘하는 사람이 아니라는 것을 증명하기 위해서 세
계 최초로 만든 남편, 아내 13계명을 공개하고 클래스
101에서 검증한 방탄사랑(남편, 아내 13계명)사용 설명
서 참고하길 바란다.

신이 인간과 함께 할 수 없어서 OO를 내려보냈다.

신이 인간과 함께 할 수 없어서 OO를 내려보냈다.

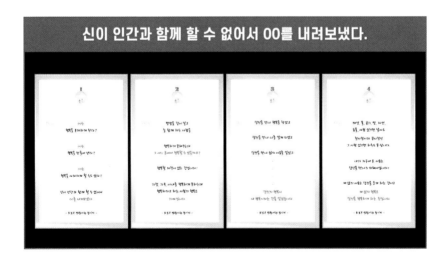

211

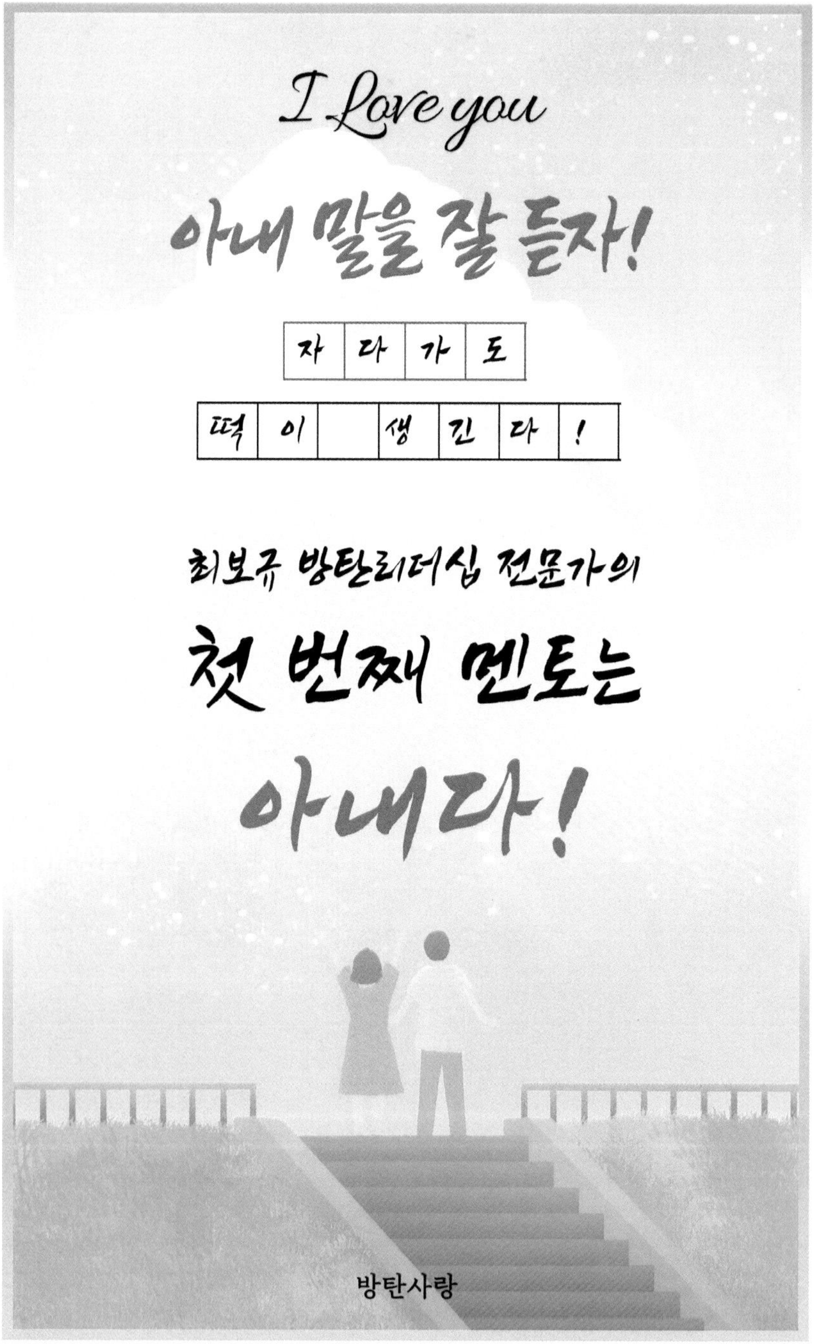

I Love you

아내 말을 잘 듣자!

자	라	가	도

떡	이		생	긴	다	!

최보규 방탄리더십 전문가의

첫 번째 멘토는

아내다!

방탄사랑

남편 13계명

1. 남편의 행복 0순위는 아내의 행복이다! 일어나서 자기 전까지 모든 것 아내에게 집중!

2. 아내 말을 잘 듣자! 하는 일이 잘 된다!

3. 아버지가 어머니에게 이렇게 대했으면 하는 남편이 되겠습니다. 매형들이 누나들에게 이렇게 대했으면 하는 남편이 되겠습니다.

4. 남편 몸은 아내 거다. 빌려 쓰는 거다! 담배, 술, 몸에 무리가 가는 모든 것 자제 하고 건강관리, 자기관리 하겠습니다.

5. 아내에게 받은 사랑(내조) 보답하기 위해 머리, 가슴, 몸, 돈 으로 실천하겠습니다. 용돈 안에 아내의 바가지도 포함되어 있다.

6. 아내를 몸, 마음, 돈으로 평생 웃게 해서 호강시켜주겠습니다.

7. 아내를 존경하겠습니다. 세상에 아내 같은 여자 없습니다.

8. 아내 빼고는 모든 여자는 공룡이다! 정신으로 살겠습니다.

9. 아내를 위해 앉아서 싸겠습니다.

10. 많은 사람들에게 인정받는 남편이 아닌 아내에게 인정받는 남편 이 되기 위해 먼저 맞춰가는 남편이 되겠습니다.

11. 아내에게 무조건 지겠습니다. 이기려 하지 않겠습니다. 아내 앞에서는 나직성자체를 내려놓겠습니다. (나이, 직급, 성별, 자존심, 체면)

12. 지저분한 것(음식물 쓰레기, 화장실 청소)같이 하겠습니다.

13. 함께하는 한 가지를 위해 개인 생활 10가지를 감수하겠습니다.

아내 13계명

1. 아내의 행복 0순위는 남편의 행복이다! 일어나서 자기 전까지 모든 것 남편에게 집중!

2. 남편 말을 잘 듣자! 하는 일이 잘 된다!

3. 어머니가 아버지에게 이렇게 대했으면 하는 아내가 되겠습니다. 새언니가 친오빠에게 이렇게 대했으면 하는 아내가 되겠습니다.

4. 아내 몸은 남편 거다. 빌려 쓰는 거다! 담배, 술, 몸에 무리가 가는 모든 것 자제 하고 건강관리, 자기관리 하겠습니다.

5. 남편에게 받은 사랑(외조) 보답하기 위해 머리, 가슴, 몸, 돈으로 실천 하겠습니다. 남편 사랑 안에 남편의 잔소리 포함되어 있다.

6. 남편을 몸, 마음, 돈으로 평생 웃게 해서 호강시켜주겠습니다.

7. 남편을 존경하겠습니다. 세상에 남편 같은 남자 없습니다.

8. 남편 빼고는 모든 남자는 공룡이다! 정신으로 살겠습니다.

9. 남편 피로 해소를 위해 어깨 안마 5분씩 해주겠습니다.

10. 많은 사람들에게 인정받는 아내가 아닌 남편에게 인정받는 아내가 되기 위해 먼저 맞춰가는 아내가 되겠습니다.

11. 남편에게 무조건 지겠습니다. 이기려 하지 않겠습니다. 남편 앞에서는 나직성자체를 내려놓겠습니다. (나이, 직급, 성별, 자존심, 체면)

12. 지저분한 것(음식물 쓰레기, 화장실 청소)같이 하겠습니다.

13. 함께하는 한 가지를 위해 개인 생활 10가지를 감수하겠습니다.

1

Dear.
　　　　　　　　00는

행복을 존재하게 한다?

00는

행복을 만들어 낸다?

00는

행복을 사라지게 할 수도 있다?

신이 인간과 함께 할 수 없어서

00를 내려보냈다.

- 최보규 방탄자기계발 창시자 -

2

Dear.

평생을 같이 살고
늘 함께 하는 사람을

행복하게 못해주는데
그 어느 곳에서 행복할 수 있을까요?

행복할 자격이 없는 것입니다!

가정, 가족, 아내를 행복하게 못하는데
행복하다고 하는 사람의 행복은
가짜입니다.

- 최보규 방탄사랑 창시자 -

3

Dear.　　당신을 만나 행복을 찾았고

당신을 만나 나를 알게 되었고

당신을 만나 삶의 이유를 알았고

.

.

.

.

당신의 행복이
내 행복이라는 것을 알았습니다.

- 최보규 방탄사랑 창시자 -

4

Dear. 태양, 물, 공기, 땅, 자연,
동물, 사람 없으면 살아도

첫사랑이자 끝사랑인
그 사람 없으면 하루도 못 삽니다.

내가 지구에 온 이유는
당신을 만나기 위해서입니다!

제 삶의 이유는 당신을 웃게 하는 것이고

제 삶의 행복은
당신을 행복하게 하는 것입니다.

- 최보규 방탄사랑 청시자 -

5

Dear. 이 사람은 늘 감사, 긍정의 말
한마디 한마디가 저에 행복을 충전시켜줍니다.

이 사람은 꾸준한 저기관리하는 모습으로
저에 행복을 충전시켜줍니다.

이 사람은 부모를 챙기는 모습으로
저에 행복을 충전시켜줍니다.

·

무한 에너지인 태양광 에너지처럼
저에 행복을 무한 충전해 주는 사람!

아내는 가정의 행복을 지켜주는 유일한
행복 태양광 에너지!

- 최보규 방탄사랑 창시자 -

법적 부부의 날

【 혼인신고 20♥♥. ♥♥. ♥♥ 】

아내: ♥ ♥ ♥ ♥ 남편: 최보규

가정의 행복 법(부부 13계명)을 지키기 위해

아내 ♥♥♥는
아내 13계명을 솔선수범하겠습니다.

남편 최보규는
남편 13계명을 솔선수범하겠습니다.

천년의 약속

♥ ♥ ♥   ♥ 최보규

세계 인구 78억 인구에서 둘이 만나
봄, 여름, 가을, 겨울을 지나
다섯 번째 계절인 사랑의 계절을 시작하려고 합니다.

미안해 보다는 고마워, 사랑해 말을 더 하겠습니다.

혼자 있는 시간보다는 함께 하는 시간을
더 만들겠습니다.

맞춰 주길 바라기보다는 맞춰 주기 위해
더 행동하도록 하겠습니다.

다섯 번째 계절인 사랑의 계절을 시작하는 첫날
♥ 기쁘게 축하해 주세요 ♥
사랑하며 예쁘게 살겠습니다!

【 다섯 번째 계절인 사랑의 계절 시작 20♥♥. ♥♥ . ♥♥ 】

스드메보다 1,000배 중요한 결혼 준비?

결혼식 하루 준비에 집착하지 말고 결혼 생활 100년을 하기 위한 결혼 준비, 학습, 연습, 훈련에 집중하자!

방탄사랑은 스펙이다!

아내  남편

최보규 방탄동기부여 전문가의 두 번째 멘토는 책이다.

책은 사람이다. 비대면 멘토인 것이다. 생각하지 못한 것들을 알려 주고 하는 일에 목표, 방향을 다듬어 주는 멘토다. 세상에서 가장 저렴한 멘토인데 세상에서 가장 값진 것을 준다. 그래서 필자는 한 달에 15명(15권)멘토를 만나고 각 전문 분야 노하우를 배워 내 분야에 접목시켜 가치, 수입을 발생시킨다.

최보규 방탄동기부여 전문가의 세 번째 멘토는 자신(최보규 습관 381가지)습관이다.

습관분야 베스트셀러인 《나다운 방탄습관블록》 창시자로서 습관에 대해 한마디 하면 사람은 습관을 만들고 습관은 사람을 만들기에 자신 습관에 모든 답이 있다.
우울 한 사람은 우울한 습관 때문에 우울하고, 행복하지 않은 사람은 행복하지 않은 습관 때문에 행복하지 않는 것이다. 그래서 필자의 습관 381가지가 세 번째 멘토인 것이다.
최보규 방탄동기부여 전문가의 세 가지 멘토 활용 방법이 습관 381가지에 다 포함된다. 멘토 활용 방법 습관 381가지 벤치마킹해서 방탄동기부여 시작하길 바란다.

최보규 방탄동기부여 전문가의 습관 381가지 (2008년 ~ 진행 중)

1. 전신 장기기증
2. 유서 써놓기
3. 꿈 목표 설정
4. 영양제 챙기기
5. 꿀 챙기기
6. 계단 이용
7. 8시간 숙면
8. 취침 4시간 전 안 먹기
9. 기상 후, 자기 전 스트레칭 10분
10. 술, 담배 안 하기
11. 하루 운동 30분
12. 밀가루 기름진 음식 줄이기
13. 자극적인 음식 줄이기
14. 얼굴 눈 스트레칭
15. 박장대소 하루 2회
16. 기상 직후 양치질 물먹기
17. 물 7잔 마시기
18. 밥 먹는 중 물 조금만
19. 국물 줄이기
20. 밥 먹고 30후 커피 마시기
21. 기상 직후 책 듣기
22. 한 달 책 15권 보기
23. 책 메모하기
24. 메모 ppt 만들기
25. SNS 랩처 자료수집
26. 강의 자료 항상 찾기
27. 좋은 글 점심때 보내기
28. 사랑의 전화 봉사
29. 주말 유치원 봉사
30. 지인 상담봉사
31. 강의 재능기부
32. 사랑의 전화 후원
33. 강의자료 주기
34. TV 줄이기
35. 부정적인 뉴스 줄이기
36. 솔선수범하기
37. 지인들 선물 챙기기
38. 한 달 한번 등산
39. 몸에 무리 가는 행동 안 하기
40. 하루 감사 기도 마무리
41. 탄산음료, 과일주스 줄이기
42. 아침 유산균 챙기기
43. 고자세
44. 스마트폰 소독 2번
45. 게임 안 하기
46. SNS 도움 되는 것 공유
47. 전단지 받기
48. 긍정, 멘탈 사용설명서 도구 스티커 나눠주기
49. 학습자 선물 주기
50. 강의 피드백 해주기
51. 자일리톨 원석 먹기 하루 3개
52. 찬물 줄이고 물 미온수 먹기
53. 소금물 가글
54. 알람 듣고 바로 일어나기

최보규 방탄동기부여 전문가의 습관 381가지 (2008년 ~ 진행 중)

55. 오전 10시 이후 커피 먹기
56. 믹스커피 안 먹기
57. 강의 족보 주기
58. 강의 동영상 주기
59. 강의 녹음파일 주기
60. 블로그 좋은 글 나누기
61. 인스턴트 음식 줄이기
62. 아이스크림 줄이기
63. 빨리 걷기
64. 배워서 남 주자 실천(PPT)
65. 읽어서 남 주자 실천(책 속의 글)
66. 오른손으로 차 문 열기
67. 오손도손 오손 왼손 캠페인 전파하기
68. 운전 중 스마트폰 안 보기
69. 취침 전 30분 독서
70. 취침 전 30분 스마트폰 안 보기
71. 오늘이 마지막인 것처럼 섬기고 영원히 살 것처럼 배우기
72. 자존심 신발장에 넣어 두고 나오기
73. 내가 받은 상처는 모래에 새기고 내가 받은 은혜는 대리석에 새기기
74. 어제의 나와 비교하기
75. 어제 보다 0.1% 성장하기
76. 세상에서 가장 중요한 스펙? 건강, 태도 실천하기
77. 나방이 되지 않기
78. 마라톤 10주 프로그램 시작
79. 마라톤 5km 도전
80. 마라톤 10km 도전
81. 마라톤 하프 도전
82. 마라톤 풀코스 도전
83. 자기 전 5분 명상
84. 뱃살 스트레칭 3분
85. 아침 동기부여 사진 보내기 8시
86. 저녁 동기부여 사진 보내기 9시
87. 나의 1%는 누군가에게는 100%가 될 수 있다. 실천
88. 150세까지 지금 몸매, 몸 상태 유지 관리
89. 아침 달걀 먹기
90. 운동 후 달걀 먹기
91. 헬스장 등록
92. 오래 살기 위해서가 아니라 옳게 살기 위해 노력하는 사람이 되자
93. 남들이 하는 거 안 하기 남들이 안 하는 거 하기

최보규 방탄동기부여 전문가의 습관 381가지 (2008년 ~ 진행 중)

94. 아침 결명자차 마시기
95. 저녁 결명자차 마시기
96. 폼롤러 스트레칭
97. 어제보다 나은 내가 되자
98. 남들이 안 하는 강의 분야 도전
99. 플랭크 운동
100. 스쿼터 운동
101. 계산할 때 양손으로 주고받고 인사
102. 명함 거울 선물 주기
103. 40살 되기 전 책 출간
104. 반 100년 되기 전 책 5권 집필하기
105. 유튜브[나다운TV] 강사심폐소생술
106. 유튜브[나다운TV] 나다운심폐소생술
107. 아.원.때.시.후.성.실 말 줄이기
108. 나다운 강사 책 유튜브 올려 함께 잘 되기
109. 리플렛으로 동기부여 시켜주기

110. 아침 8시 동기부여 메시지 만들어 보내기
111. 저녁 9시 동기부여 메시지 만들어 보내기
112. 어플 책 속의 한 줄에 책 내용 올리기
113. 책 내용 SNS 오픈
114. 3번째 책 원고 작업 시작
115. 4번째 책 자료수집
116. 뱃살관리 스트레칭 아침, 저녁 5분
117. 3번째 책 기획출판계약
118. 최보규강사사관학교 시작
119. 최보규강사사관학교 지회 원장 임명
120. 올 노올바른 노력)공식 오픈
121. 행복, 방탄멘탈 공식 자자자자멘습긍 오픈
122. 생화 네 잎 클로버 선물 주기
123. 세바시를 통해 극단적인선택 예방 전파!
124. 세바시를 통해 자자자자멘습긍 사용설명서 전파!
125. 4번째 책 원고 시작 2021년 1월 출간 목표!
126. 전염성이 강한 상황 왔을 때 대처하기 위한 준비!
127. 코로나19 극복을 위한 공적 마스크 독고 어르신들 주기!

최보규 방탄동기부여 전문가의 습관 381가지 (2008년 ~ 진행 중)

128. 아내를 위해 앉아서 소변보기
129. 들어라 하지 말고 듣게 하자
130. 좋은 사람이 되지 말고 좋은 사람 되어주자.
131. 좋아하게 하지 말고 좋아지게 하자
132. 보여주는(인기)인생을 사는 것보다
     보여지는(인정)인생을 살아가자.
133. 나 이런 사람이야 말하지 않아도
     이런 사람이구나 느끼게 하자.
134. 마음을 얻으려 하지 말고 마음을 열게 하자.
135. 믿으라 하지 말고 믿게 하자
136. 나에 행복 0순위는 아내의 행복이다!
     일어나서 자기 전까지 모든 것 아내에게 집중!
137. 아내 말을 잘 듣자! 하는 일이 잘 된다!
138. 아버지가 어머니에게 이렇게 대했으면 하는 남편이
     되겠습니다. 매형들이 누나들에게 이렇게 대했으면
     하는 남편이 되겠습니다.
139. 내 몸은 아내꺼다. 빌려 쓰는 거다! 담배, 술, 몸에
     무리가 가는 모든 것 자제 하고 건강관리, 자기관리
     하겠습니다.
140. 아내의 은혜를 보답하기 위해 머리, 가슴, 몸, 돈으로
     실천하겠습니다!

141. 아내에게 받은 사랑(내조) 보답하기 위해 머리, 가슴, 몸, 돈
     으로 실천하겠습니다.
142. 아내를 몸, 마음, 돈으로 평생 웃게 해서 호강시켜주겠습니다.
143. 아내를 존경하겠습니다. 세상에 아내 같은 여자 없습니다.
144. 아내 빼고는 모든 여자는 공룡이다! 정신으로 살겠습니다.
145. 많은 사람들에게 인정받는 남편이 아닌 아내에게 인정받는
     남편이 되기 위해 먼저 맞춰가는 남편이 되겠습니다.
146. 아내에게 무조건 지겠습니다.
     이기려 하지 않겠습니다. 아내 앞에서는 나직성자체를
     내려놓겠습니다. (나이, 직급, 성별, 자존심, 체면)
147. 지저분한 것(음식물 쓰레기, 화장실 청소)다 하겠습니다.
148. 함께하는 한 가지를 위해 개인 생활 10가지를 감수하겠습니다.
149. 최강자 학습지 시작 (최보규의 강사학습지, 자기계발학습지)
150. 홀코 시작(집에서 화상 1:1 케어)
151. 부자의 인생 시작
152. 나는 복덩어리다. 나는 운이 좋은 사람이다.
153. 베스트셀러 3권 달성 노하우 책쓰기 교육 시작
154. 유튜브, 유튜버 100년 하는 노하우 교육 시작

최보규 방탄동기부여 전문가의 습관 381가지 (2008년 ~ 진행 중)

155. 방탄멘탈마스터 양성 시작
156. 나다운 방탄멘탈 책으로 극단적인 선택 줄이기
157. 아침 8시, 저녁 9시 방탄멘탈공식 SNS 공유
158. 5번째 책 2022년 나다운 방탄사랑
159. 2023 나다운 방탄멘탈 2
160. 2024 나다운 책 쓰기(100년 가는 책)
161. 2025 유튜버가 아니라 나튜버 (100년 가는 나튜버)
162. 2026 나다운 강사3(Q&A)
163. 2027 나다운 명언
164. 2029 나다운 인생(50살 자서전)
165. 줌 화상 기법 강의, 코칭(최보규줌사관학교)
166. 언택트(비대면)시대에 맞게 아날로그 방식 80%를
　　　디지털 방식 80%로 체인지
167. 변기 뚜껑 닫고 물 내리기
168. 빨래개기
169. 요리하기, 요리책 내기 위한 자료 수집
170. 화장실 물기 제거

171. 부엌 청소, 집 청소, 화장실 청소
172. 사랑해 100번 표현하기
173. 아내에게 하루 마무리 안마 5분 해주기
174. 헌혈 2달에 1번
175. 헌혈증 기부
176. 네 번째 책 행복 히어로 책 출간
177. 극단적인 선택률, 이혼율 낮추기 위한 교육 시작
178. 행복률 높이기 위한 교육 시작
179. 다섯 번째 책 원고 작업 시작
180. 여섯 번째 책 자료 수집
181. 운전 중 양보 해 줄 때, 받을 때 목례로 인사하기.
182. 다섯 번째 책 나다운 방탄습관블록 출간
183. 습관사관학교 시스템 완성
184. 습관 코칭, 교육 시작
185. 아침 8시, 저녁 9시 습관 메시지 sns 공유
186. 습관 전문가 되어 무료 케어 상담 시작
187. 습관 콘텐츠 유튜브<행복히어로>에 무료 오픈 시작

최보규 방탄동기부여 전문가의 습관 381가지 (2008년 ~ 진행 중)

188. 여섯 번째 책 원고 작업 시작
189. 최보규상(대한민국 노벨상) 버킷리스트 설정
190. 2037년까지 운영진, 자금(상금), 시스템 완성 목표 설정
191. 최보규상을 1,000년 동안 유지하기 위한 공부
192. 일곱 번째 자존감 책 원고 작업
193. 여덟 번째 책 쓰기 책 자료 수집, 공부
194. 앉아서 일할 때 50분의 한번 건강 타이머 누르기
195. 세계 최초 자기계발쇼핑몰(www.자기계발아마존.com)
196. 온라인 건물주 분양 시작(월세, 연금성 소득 올릴 수 있는 시스템)
197. 일곱, 여덟 번째 책 출간(나다운 방탄자존감 명언 Ⅰ, Ⅱ)
198. 자기계발코칭전문가 1급, 2급 자격증 교육 시작
199. 방탄자기계발사관학교 Ⅰ, Ⅱ, Ⅲ, Ⅳ 4권 출간
200. 2021년 목표였던 9권 책 출간 달성!
201. 하루 3번 호흡 스펙 습관 쌓기 시작
　　　(코 8초 마시고, 5초 멈추고, 입으로 8초 내뱉기)
202. 장모님께 출간 한 책 12권 드리기
203. 2022년 최보규의 책 쓰기9 원고 작업 시작
204. 100만 프리랜서들 도움주기 위한 프로젝트 시작

205. 방탄 자존감 코칭 기술
206. 방탄 자신감 코칭 기술
207. 방탄 자기관리 코칭 기술
208. 방탄 자기계발 코칭 기술
209. 방탄 멘탈 코칭 기술
210. 방탄 습관 코칭 기술
211. 방탄 긍정 코칭 기술
212. 방탄 행복 코칭 기술
213. 방탄 동기부여 코칭 기술
214. 방탄 점심교육 코칭 기술
215. 꿈 코칭 기술
216. 목표 코칭 기술
217. 방탄 감사 코칭 기술
218. 방탄 강의 코칭 기술
219. 파워포인트 코칭 기술
220. 강사 트레이닝 코칭 기술
221. 강사 스킬UP 코칭 기술
222. 감사 인성, 멘탈 코칭 기술

223. 강사 습관 코칭 기술
224. 강사 자기계발 코칭 기술
225. 강사 자기관리 코칭 기술
226. 강사 양성 코칭 기술
227. 강사 양성 과정 코칭 기술
228. 퍼스널브랜딩 코칭 기술
229. 방탄 리더십 코칭 기술
230. 방탄 인간관계 코칭 기술
231. 방탄 인성 코칭 기술
232. 방탄 사랑 코칭 기술
233. 스트레스 해소 코칭 기술
234. 힐링, 웃음, FUN 코칭 기술
235. 마인드컨트롤 코칭 기술
236. 사명감 코칭 기술
237. 신념, 열정 코칭 기술
238. 팀워크 코칭 기술
239. 협동, 협업 코칭 기술
240. 버킷리스트 코칭 기술

241. 종이책 쓰기 코칭 기술
242. PDF 책 쓰기 코칭 기술
243. PPT로 책 출간 코칭 기술
244. 자격증 교육 커리큘럼으로 책 출간 코칭 기술
245. 자격증 교육 커리큘럼으로 영상 제작 코칭 기술
246. 책으로 디지털콘텐츠 제작 코칭 기술
247. 책으로 온라인 콘텐츠 제작 코칭 기술
248. 책으로 네이버 인물 등록 코칭 기술
249. 책으로 강의 교안 제작 코칭 기술
250. 책으로 민간 자격증 만드는 코칭 기술
251. 책으로 자격증 과정 8시간 제작 코칭 기술
252. 책으로 유튜브 콘텐츠 제작 코칭 기술
253. 유튜브 시작 코칭 기술
254. 유튜브 자존감 코칭 기술
255. 유튜브 멘탈 코칭 기술
256. 유튜브 습관 코칭 기술
257. 유튜브 목표, 방향 코칭 기술
258. 유튜브 동기부여 코칭 기술

259. 유튜브가 아닌 나튜브 코칭 기술
260. 유튜브 영상 제작 코칭 기술
261. 유튜브 영상 편집 코칭 기술
262. 유튜브 울렁증 극복 코칭 기술
263. 유튜브 썸네일 디자인 제작 코칭 기술
264. 유튜브 콘텐츠 제작 코칭 기술
265. 유튜브 수입 연결 제작 코칭 기술
266. 유튜브 영상 홍보 코칭 기술
267. 홈페이지 무인시스템 연결 제작 코칭 기술
268. 홈페이지 자동 결제 시스템 제작 코칭 기술
269. 홈페이지 비메오 연결 제작 코칭 기술
270. 홈페이지 렌탈 시스템 제작 코칭 기술
271. 홈페이지 디자인 제작 코칭 기술
272. 홈페이지 제작 코칭 기술
273. 재능마켓 크몽 PDF 입점 코칭 기술
274. 재능마켓 크몽 강의 입점 코칭 기술
275. 재능마켓 크몽 이미지 디자인 제작 코칭 기술
276. 재능마켓 크몽 입점 영상 제작 코칭 기술

277. 재능마켓 크몽 입점 영상 편집 코칭 기술
278. 재능마켓 크몽 VOD 입점 코칭 기술
279. 클래스101 영상 입점 코칭 기술
280. 클래스101 PDF 입점 코칭 기술
281. 클래스101 이미지 디자인 제작 코칭 기술
282. 클래스101 영상 제작 코칭 기술
283. 클래스101 영상 편집 코칭 기술
284. 탈잉 영상 입점 코칭 기술
285. 탈잉 PDF 입점 코칭 기술
286. 탈잉 이미지 디자인 제작 코칭 기술
287. 탈잉 영상 제작 코칭 기술
288. 탈잉영상 편집 코칭 기술
289. 탈잉 VOD 입점 코칭 기술
290. 클래스U 영상 입점 코칭 기술
291. 클래스U 영상 제작 코칭 기술
292. 클래스U 영상 편집 코칭 기술
293. 클래스U 이미지 디자인 제작 코칭 기술
294. 클래스U 커리큘럼 제작 코칭 기술

최보규 방탄동기부여 전문가의 습관 381가지 (2008년 ~ 진행 중)

295. 인클 입점 코칭 기술
296. 자신 분야 콘텐츠 제작 코칭 기술
297. 자신 분야 콘텐츠 컨설팅 코칭 기술
298. 자기계발코칭전문가 1시간 ~ 1년 코칭 기술
299. 강사코칭전문가, 리더십코칭전문가 1시간 ~ 1년 코칭 기술
300. 온라인 건물주 되는 코칭 기술
301. 강사 1:1 코칭기법 코칭 기술
302. 전문 분야 있는 사람 1:1 코칭 기법 코칭 기술
303. CEO, 대표, 리더, 협회장 풀위유지의무 코칭 기술
304. 은퇴 준비 코칭 기술
305. 2023년 나다운 방탄리더십 1, 2, 3, 4, 5 출간
306. 나다운 방탄리더십 아침, 저녁 메시지 시작
307. 강사코칭전문가 자격증 시스템 시작
308. 방탄 리더십 원고 작업 시작
309. 방탄 리더 자존감 원고 작업 시작
310. 방탄 리더 멘탈 원고 작업 시작
311. 방탄 리더 습관 원고 작업 시작
312. 방탄 리더 행복 원고 작업 시작
313. 방탄 리더 자기계발 원고 작업 시작
314. 방탄 리더 코칭 원고 작업 시작
315. 마트에서 구입한 물건들 바코드 정렬해서 올리기
316. 장모님 머리 염색해 주기
317. 처남 금연, 금주 도와주기
318. 한 해 시작할 때 습관 영상 업로드
319. 결혼기념일 뱃지, 명찰 제작
320. 뒤꿈치 들기 운동 시작
321. 리더는 유튜브가 아닌 나튜브 1, 2, 3 출간
322. 방탄 리더 스피치 1, 2, 3, 4, 5 출간
323. 방탄 리더 책쓰기 1, 2, 3 출간
324. 방탄 강사 원고 작업 시작
325. 방탄 리더 동기부여 1, 2, 3, 4, 5, 6 출간
326. 리더 은퇴 골든타임 1, 2, 3, 4, 5, 6 출간
327. 방탄 리더 감정컨트롤 1, 2, 3, 4, 5, 6 출간
328. 방탄 리더 재테크 1, 2, 3, 4, 5, 6 출간
329. 방탄 리더 의무교육 1, 2, 3, 4, 5, 6 출간
330. 방탄 리더 태도 1, 2, 3, 4, 5, 6 출간

최보규 방탄동기부여 전문가의 습관 381가지 (2008년 ~ 진행 중)

331. 방탄 리더 기본기 1, 2, 3, 4, 5, 6 출간
332. 리더 의무교육 1 ~ 11 출간
333. 방탄 리더 사명감 1, 2, 3, 4, 5, 6 출간
334. 자기계발서 100권 출간
335. 방탄 리더 인재양성 1, 2, 3, 4, 5, 6, 7 출간
336. 리더십 식스펙 1, 2, 3, 4, 5, 6, 7 출간
337. 리더십 PT 1 ~ 11 출간
338. 방탄 리더 스토리텔링 1, 2, 3, 4, 5, 6, 7 출간
339. 리더의 방탄 인간관계 1, 2, 3, 4, 5, 6, 7 출간
340. 리더의 방탄 소통 1, 2, 3, 4, 5, 6, 7 출간
341. 300만 원 동기부여 강의 출간
342. 1조 리더십 강의 1, 2 출간
343. 방탄리더사관학교 원고 작업 시작
344. 동기부여 히어로 원고 작업 시작
345. 방탄 동기부여 초고속 출전 원고 작업 시작
346. 강사야 대표 강사
347. 방탄 동기부여 일타강사
348. 방탄 리더십 일타강사
349. 국가등록 5가지 민간자격증 과정 시스템
　　　동기부여코칭전문가 2급, 1급
　　　자기계발코칭전문가 2급, 1급
　　　리더십코칭전문가 2급, 1급
　　　책쓰기코칭전문가 2급, 1급
　　　강사코칭전문가 2급, 1급
350. 방탄 PT 시스템 시작
　　　1. 동기부여 방탄 PT
　　　2. 리더 인간관계 PT
　　　3. 방탄리더십 PT
　　　4. 자기계발 방탄 PT
　　　5. 방탄 강사 방탄 PT
　　　6. 책 쓰기, 출간 방탄 PT
351. 특허청 등록 [등록번호:제 40-2072344호]
　　　[상표명: 최보규 자기계발코칭 창시자]
352. 특허청 등록 [등록번호:제 40-2128786호]
　　　[상표명: 최보규 리더동기부여 코칭전문가]
353. 이코노미 PT, 비지니스 PT, 퍼스트클리스 PT

최보규 방탄동기부여 전문가의 습관 381가지 (2008년 ~ 진행 중)

354. 백년 허리 1 공부
355. 백년 허리 2 공부
356. 백년 운동 공부
357. 척추위생 시작
358. 신전운동 시작
359. "척추의 꼬마" 디스크 홍보대사 시작
360. 디스크 탈출증 완치 강의 교안 만들기
361. 법적 부부의 날(혼인 신고 날짜)사진 제작 [시각화]
362. 천년의 약속(청첩장 문구)사진 제작 [시각화]
363. "지금 무엇을 하면 아내가 행복할까?" 뱃지 제작
364. "지금 무엇을 하면 남편이 행복할까?" 뱃지 제작
365. 화장실에 스마트폰 가져가지 않기
366. 방탄 동기부여 사용 설명서(파워포즈자세)스티커 나눔
367. 스티커 원본 이미지 나눔
368. 300만원 동기부여 강의 교안 블로그 나눔
369. 1조 리더십 강의 교안 블로그 나눔
370. 2024년 습관 영상 제작

371. 방탄 사랑 10가지 체크리스트 시작
372. 기상 후 뽀뽀
373. 기상 후 사랑해
374. 기상 후 안아주기
375. 어깨 안마 3번(3분씩)
376. 남편 13계명 실천
377. 소변 앉아서 싸기
378. 세면대 물기 제거
379. 싱크대 물기 제거
380. 3단 콤보(뽀뽀, 사랑해, 안아주기)
381. 아내 재워주기(하루 일과 소통)

 4 세상에서 가장 강력한 동기부여는 사람이다!
멘토의 중요성!

방탄 동기부여
초고속 충전

"당신은 제가 좋은 사람이 되고 싶도록 만들어요"

모든 시작은 자기 관리, 건강에서 시작한다. 자기 관리가 안 돼서 몸이 아프면 모든 게 만사가 귀찮다. 몸이 아프면 부정적인 생각이 드는 게 사람의 심리다. 바디갑이 자존감, 멘탈 갑이듯 자기 관리, 건강관리가 잘 돼야 마인드 컨트롤이 잘 되서 자신 삶의 페이스 유지를 잘할 수 있다.

자기 관리, 건강관리를 잘하는 사람이 주위에 있는가?

내가 그런 사람이 아니라면 주변에 자기관리, 건강관리 잘 하는 사람이 대부분 없다. 상대방이 자기계발을 잘하는 사람인지 아닌지 알 수 있는 방법은 가장 먼저 밝은 표정인지, 말투에서 힘이 느껴지는지, 모습이 자기 관리, 건강관리가 잘 되어 보이는지 이런 것들을 보고 판단할 수 있다. 그래서 필자는 381가지 자기계발 습관 중에 50%가 자기 관리, 건강관리다.

두 번째, 목표, 방향, 가능성(비전)이 있는 사람.

"저 사람 옆에 있으면 나도 변할 수 있겠다. 나도 무엇이든 되겠다. 저 사람은 내가 좋은 사람이 되고 싶도록 만들어!" "저 사람과 함께라면 나도 가능성이 있겠다." 라는 함께 하고 싶다는 마음을 주는 사람이다.

한 분야 전문가라면 누구나 이런 사람이 되고 싶어 할 것이다. 그래서 필자도 이런 사람이 되기 위해서 가치, 비전, 목표, 방향, 가능성을 높이기 위해 실천했다. 사람마다 다르겠지만 필자의 결과물이 50개였다면 5,000,000배 시행착오, 대가 지불, 인고의 시간이 들어갔다. 이제는 시행착오, 대가 지불, 인고의 시간을 단축시키는 기술력을 익히게 되었다.

세 번째, 책을 꾸준하게 보고 실천하는 사람.

책을 많이 읽는 사람인지 아닌지 대화 5분만 해봐도 알 수 있다. 책을 많이 보는 사람의 대화와 책을 아예 안 읽는 사람의 대화는 완전히 다르다. 표정, 행동, 기운이 다르다.

우종만 박사님이 이런 말을 했다. 아는 것이 힘이던 시대는 지났다. 생각이든 결심이든 실천이 없으면 아무 소용이 없다. 쓰레기 된다. 하는 것이 힘이다. 1%를 하더라도 실천하는 자가 행복한 사람이다.

그래서 필자는 한 달에 15권씩 꾸준히 책을 읽고 15년 동안 2,000권 독서, 자기계발 책 100권을 출간하고 자기계발, 동기부여 습관 381가지를 만들었다는 것이다. 대한민국에 리더 자기계발교육을 잘하는 사람들은 많다.

최보규 방탄동기부여 전문가만큼 내공이 있는 사람은 단언컨대 세상에 없다.

네 번째, 꾸준히 하는 것이 많은 사람.
꾸준함 속에 성실함, 인내심, 목표, 긍정, 희망, 미래, 성장, 변화, 배움이 있다.
자동차에 연료가 없으면 움직이지 않듯 자신이 이루고자 하는 모든 것들은 꾸준함이라는 연료가 있어야 한다.
꾸준히 하고 있는 게 많으면 진짜 자기계발 잘하는 사람이다.

다음은 좌절, 실망, 실패를 겪더라도 꾸준함이 있어야만 결과를 만들어 낼 수 있다는 것을 깨닫게 해주는 스토리텔링이다.

다람쥐는 모아둔 도토리의 대부분을 잃어버린다.
두 볼 가득 도토리를 채운 다람쥐는 하루 37번을 왕복하며 겨울을 대비할 식량을 땅속에 저장한다. 하지만, 여러 군데 나누다 어느새 너무 흩어 저버린 도토리. 결국 다람쥐가 다시 찾게 되는 도토리는 겨우 1/10정도. 나머지 도토리들은 다 어떻게 된 걸까?
이듬해 봄이 돌아오면 다람쥐가 찾던 도토리들은 그렇게, 잃어버린 줄 알았던 90%의 도토리가 참나무 숲을 이루고 그 나무들은 몇 년이 지나 다람쥐들에게 수천 개의 도토리로 돌아온다. 우리에게도 도토리를 찾지 못하고 있는 시간들이 있다. 오랜 시간 최선의 노력을 기울였던 시험에서 속절없이 떨어졌을 때 오랜 기간 준비해온 것이 너무도 쉽게 물거품이 되어 버렸을 때 우리 어떠한 노력의 결과도 얻지 못한 거 같아 좌절하곤 한다.

하지만 당신의 도토리는 결코 사라진 것이 아니다.

단지 땅에서 씨앗이 되고 있을 뿐이다. 한번 생각해보라. 당신이 몇 개의 도토리를 잃어버렸는지 그리고 당신에게 몇 그루의 참나무가 열릴 것인지를 기억하자 실패는 끝이 아닌 시작이다.

<열정에 기름 붓기>

다람쥐의 양질전환 법칙을 생각해야 한다. 양이 많아야 질적으로 전환이 되는 것처럼 결과가 바로 나오지 않더라도 꾸준히 하고 있는 것이 많아야 한다. 꾸준함 속에서 어떤 것이 결과를 만들어 낼지 모르기 때문이다.

곰곰이 생각해 보자! 이 책을 보고 있는 당신은 지금 꾸준히 하고 있는 게 몇 개나 되는가?

대부분 사람들은 꾸준히 하고 있는 게 많다? 치킨을 꾸준히 먹는다. 담배를 꾸준히 피운다. 인스턴트를 꾸준히 먹는다. 정신, 몸에 무리가 가는 행동들을 꾸준히 한다. 필자는 15년 전 강사가 되고 나서 지금까지 꾸준히 하고 있는 게 책 2,000권 독서, 한 달에 15권 독서, 자기계발 습관 381가지를 만듦, 450명에게 점심 간 때 좋은 메시지, 영상 공유, 기부, 나눔을 실천 하고 있으며 생명 지킴이 심리 상담 봉사, 유튜브 5년 차, 2019년 ~ 2024년 까지 100권 출간을 꾸준히 하고 있다.

다섯 번째, 함께 잘 되기 위한 행동을 많이 하는 사람.

나의 1%는 누군가에게는 살아가는 100%가 될 수 있다. "내가 어려운 사람을 돕는 것이 아니라 어려운 사람이 내게 도울 기회를 주는 거다." 이런 마음으로 자신의 사소한 말, 표정, 행동들이 오로지 자신을 위해서가 아니라 함께 잘 되기 위한 행동들이 많은 사람이다.

한 마디로 "혼자 잘 되고 잘살자" 마인드가 아니라 "함께 잘 되고 잘살자" 마인드가 있는 사람이다.

내가 보는 게, 내가 듣는 게, 내가 행동하는 게 오로지 나를 위함이 아닌 함께 잘 살기 위한 행동이 많은 자기계발, 동기부여를 해야 한다. 혼자만이 발전, 변화, 성장, 나음이 아닌 우리, 함께 발전, 변화, 성장, 나음이 될 수 있는 자기계발, 동기부여가 되어야 한다. 더 나아가 사회 와 나라 발전에 이바지할 수 있는 자기계발, 동기부여를 해야 한다. 다음은 공생관계 스토리텔링이다.

터키 도안 통신(DHA)과 외신은 실제로 피해를 입은 남성의 유튜브와에 올라온 사연을 전했습니다. 터키 북동부의 트라브존에서 양봉업 이브라힘 세데프(Ibrahim Sedef)는 3년 전부터 상습적인 곰의 습격으로 1만 달러(한화 약 1,200만원)에 달하는 피해를 보았습니다. 그는 곰이 꿀을 훔쳐 가지 못하도록 철장 안에다 넣었습니다. 또 다른 음식을 두기도 했지만 곰의 꿀을 향한 집념을 막을 수 없었습니다. 모든 방법과 시도들이 물거품이 되자, 그는 역발상을 하게 됐습니다. 그의 양봉 농장에 카메라를 설치하였고 다양한 꿀을 나열해 놓았습니다. 그리고 밤손님 곰에게 시식을 맡긴 것이었죠. 결과는 대박이었습니다. 여러 날의 시식 결과 곰은 세데프의 안제르(Anzer) 꿀만 찾았습니다. 그는 이 촬영 영상과 함께 안제르 꿀을 쇼핑몰에 올렸고, 불티나게 그의 꿀이 팔렸습니다. 안제르 꿀은 1kg에 300달러를 호가한다고 합니다.

<유튜브 Demirören Haber Ajansı>

공생 관계인 코뿔소와 코뿔소 새, 소나무와 송이버섯, 곰치와 청소놀래기처럼 함께 잘 살기 위한 자기계발, 동

기부여를 했을 때 더 시너지효과가 나는 것이다.

필자가 공생관계태도 자기계발, 동기부여(20,000명 심리 상담, 코칭)를 통해 책을 쓰는데, 코칭하는데, 국가등록 민간 자격증 만드는데, 10개 분야 50시간 코칭 커리큘럼을 만드는데, 사람을 살리는데, 책 100권을 출간하는데, 도움이 되어 수익도 창출하고 100조의 가치를 얻을 수 있었다.

필자는 15년 동안 20,000명을 심리 상담, 코칭 하면서 늘 함께 잘 되기 위해서 상담, 코칭을 했고 습관을 만들었고 100권의 출간한 책 내용도 함께 잘 되기 위한 내용이며 유튜브를 찍더라도 작은 거라도 도움을 주기 위해서 노하우를 오픈하고 있다.

최보규 방탄동기부여 전문가의 말, 표정, 행동에서 "함께 잘 되고 잘 살자" 마인드로 표현하는지 자기 자신만 생각하고 말, 표정, 행동하는지는 대화 30분만 해보면 알 것이다.

"함께 잘 되고 잘 살자" 마인드가 어떤 표현인지 어떤 것인지 30분 안에 느끼고 싶다면 무료 상담 받아 보라.
<최보규 방탄동기부여 창시자 010-6578-8295>
단언컨대 30분 안에 "함께 잘 되고 잘 살자" 마인드가

어떤 것인지 느끼게 해줄 수 있다.

자기계발, 동기부여를 잘하는 사람의 기준을 알면 자기계발 잘하는 사람들을 찾을 수 있다. 주위에 있는가? 잘하는 사람은 있지만 검증된 사람은 아마 없을 것이다. 검증된 사람에게 코칭을 받아야 돈과 시간 낭비를 줄일 수 있다,

교육, 코칭을 받더라도 순간 단타로 끝나는 것이 아니라 함께 잘 되기 위해서 한 번의 코칭으로 150년 A/S, 관리, 피드백해 줄 수 있는 코칭 과정이 대한민국에 있을까?

세상에 필자보다 자기계발 코칭을 잘하는 사람은 많다. 단언컨대 최보규 방탄동기부여 전문가보다 코칭 받는 사람을 사랑으로 150년 a/s, 피드백, 관리, 코칭해 주는 검증된 전문가는 대한민국에 없다! 세계에 없다!

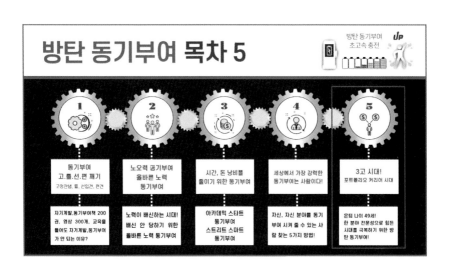

방탄 동기부여 목차 5

5 3고 시대! 포트폴리오 커리어 시대
은퇴 나이 49세! 한 분야 전문성으로 힘든 시대를 극복하기 위한 방탄 동기부여!

3고 시대 (고물가, 고환율, 고금리)를 준비하는 3부류의 사람들!
앞으로 더 힘들면 힘들었지 덜 하지는 않는 게 현실이다!

한방만 터지면 된다!
대박 아니면 쪽박이다!

내 주제에 뭘 할 수 있겠어...
돈, 나이, 스펙 때문에...
시도할 수 있는 게 없어...
경기 좋아지기만을 기다리자...

점점 더 힘들어진다.
내 커리어, 내 분야
지금처럼 하면 안 된다. 변화가 필요해!
어떻게 하면 좀더 나아질 수 있을까?

3고 시대! 포트폴리오 커리어 시대
은퇴 나이 49세! 한 분야 전문성으로 힘든 시대를 극복하기 위한 방탄 동기부여!

사람들은 평균 73세까지 일하길 희망했지만,
현실은 거리가 멉니다.
가장 오래 다닌 직장에서 그만둔 나이는 평균 49세.
사업 부진, 휴·폐업, 권고사직이나 명예퇴직 등
10명 중 4명은 자기 뜻과 상관없이 그만뒀습니다.

55살 ~79살 1,500만 명
10년 만에 500만 명이 늘었다.
연금 받는 750만 명
연금을 받더라도 턱없이 부족한 69만 원이다.
1인 가구 최저생계비 116만 원.

- 출처: KBS 뉴스레스크 < 55세~79세 1,500만 명, 은퇴했지만 생활비 벌려고...> -

[앵커]

'나는 언제까지 일할 수 있을까' 한 업체가 조사해봤더니 직장인이 기대하는 정년은 평균 49.7세였습니다. 평균수명은 길어지는데, 직장에서 50세까지도 버티지 못할거라고 생각한다는 거죠..

류주현 기자입니다.

[리포트]

취업한 지 얼마 안 된 20~30대 직장인들. 이들이 예상하는 퇴직 연령은 몇 살일까요?

최우수 / 20대 직장인

"회사 생활은 한 45세에서 50세 사이 안에는 끝날 것 같은데…"

노주영 / 30대 직장인

"더 낮아질 것으로 예상하고요. 코로나 불황 속에 직업에 대한 미래가 불투명하기 때문에…"

한 온라인 취업포털 사이트 조사 결과, 직장인들이 기대하는 정년은 평균 49.7세였습니다.

특히 젊은 연령층에서 50세 이전 퇴직을 예상했습니다.

30대가 평균 48.6세로 가장 낮았고, 20대도 평균 49.5세에 회사를 나갈 거라고 전망했습니다.

40대 이상은 50세는 넘길 거로 예상했지만, 50대 초반에 그쳤습니다.

4년 전 조사와 비교하면 예상 퇴직 연령은 1.2세 더 낮아지면서 40대까지 떨어진 겁니다.

그러다보니 퇴직 이후에도 일하고 싶은 마음은 더 커졌습니다.

서용구 / 숙명여대 경영학부 교수
"베이머부머보다 밀레니얼 세대가 더 가난해진다고들 애기를 많이 하는데, 안정된 고용시장이 만들어지지 못하는 상황에서 나이가 젊으면 젊을 수록 미래에 대한 불안감은 커지기 때문에…"

이번 조사에서 정년퇴직 이후 필요한 한 달 평균 생활비는 평균 177만원으로 나타났습니다.

〈TV조선〉

2023년 평균 은퇴 나이 49세
앞으로 은퇴 나이 더 낮아진다!

100% 해당되는 은퇴
언제부터 준비할 것인가?
은퇴 준비가 자신 분야 준비고
강력한 동기부여!

3고 시대에
한 분야 전문성으로는
힘들기에 어떻게 하면 할 수 있을까?

3고 시대! 포트폴리오 커리어 시대

은퇴 나이 49세! 한 분야 전문성으로 힘든 시대를 극복하기 위한 방탄 동기부여!

포트폴리오 커리어 시대!

하나의 일, 하나의 직업이 아닌
모든 것이 일이 되고 모든 일이 직업이 되는 시대!
멀티 플레이어가 살아남는다.

앞으로는
'포트폴리오 커리어의 시대'다.
– 세계 최고의 경영사상가 찰스 핸디 –

일을 그만두라는 것이 아니다!

어떻게 하면 자신 분야 경력을
수입을 창출 시키는 방법과
연결을 시킬 것인가?

1970년대 인재, 1980년대 인재, 1990년 대 인재, 2000 년 대 인재, 2010년 대 인재... 2010년 대부터 인재상이 580도로 확 달라졌다. 그 이유는 스마트폰이 보급화되어 빠른 기술 변화로 인해 이전 세대와 차원이 다른 인재로 업그레이드되었다는 것이다. 하지만 많은 리더들이 시대에 맞는 인재상이 아닌 이전 세대에 인재상으로 리더십을 발휘하니 인재가 오래 버티지 못하는 것이다. 인재상도 시대에 맞게 업데이트해야 한다.

지금 시대는 포트폴리오 커리어 인재라고 한다. 다음은 포트폴리오 커리어 인재가 어떤 인재인지 깨닫게 해주는 내용이다.

포트폴리오 커리어 시대
'포트폴리오 커리어의 시대'는 세계 최고의 경영사상가 찰스 핸디가 이미 오래전에 예측한 바 있다. 그는 포트폴리오 커리어의 시대에는 대부분의 생활이 일에 포함된다고 본다.
2가지 또는 그 이상의 영역에서 일을 하는 사람들이 늘어나는 현상에 따른 것이다.

'멀티-커리어리즘' (Multi-careerism)과도 연결된다. 이런 포트폴리오 커리어는 하나의 직무만으로 평생 먹고 살기가 힘들어진다. 그런 미래가 우리 앞에 이미 현실화 되었음을 시사한다.

이광호의 《아이에게 동사형 꿈을 꾸게 하라》 중에서

＊ 하나의 일, 하나의 직업으로
살아가는 시대는 지났습니다. 모든 것이
일이 되고 모든 일이 직업이 되는 시대를 맞고 있습니다. 여러 일을 동시에 할 수 있는 '멀티 플레이어'가 되어야 살아남을 수 있습니다. 이런 시대에 요구되는 가장 중요한 것은 자기 관리, 자기 준비입니다. 새로운 기술과 지식, 유연한 사고와 창의적 발상으로 언제든 능숙하게 대응해야 합니다. 포트폴리오 커리어 시대입니다.
(2020년 8월 11일 앙코르메일)
〈고도원의 아침편지〉

포트폴리오 커리어 시대를 준비하자
우리가 살아가는 세상은 커리어 세상이다. 그리고 현대 사회는 포트폴리오 커리어 시대이다.

우리는 예전에 "한 우물을 파야 된다"는 어르신들의 말씀을 듣고 살았다. 즉, 단일경로 시대인 커리어 패스 시대 였다. 마치 사다리를 오르듯 한 단계씩 더 큰 책임과 승진으로 가는 모습이었다.

이에 반해 요즘은 포트폴리오 커리어 시대다.
포트폴리오 커리어란 다양한 자신의 역량과 경험을 횡으로 개발하고 펼쳐놓아 어떤 커리어가 필요할 때 이들을 유연하게 조합하는 것을 의미한다. 세상이 바뀌어서 정보시대이고 그러고는 세상이 눈 깜빡할 사이에 많은 것이 변하고 있다.

그래서 한 가지 직업으로는 살아남기가 무척 어렵기에 자신의 다양한 포트폴리오를 활용하여 변화하는 상황과 필요로 하는 직업에 유연하게 대응하는 것이다.

과거는 대개 한 두 회사에서 퇴직까지 근무하거나 회사를 옮겨도 한 업종 안에서 왔다 갔다 할 뿐이었다. 이에 커리어 패스가 중요했다. 한 두 회사에서의 커리어 패스란 사실상 승진이라는 단일경로 외에는 대안이 없다.

이에 대부분의 교육과 역량개발은 승진의 단계마다 초점이 맞추어졌다. 그러나 인간의 수명이 점점 길어져 100세 시대가 되었다. 그리고 하나의 일, 하나의 직업으로 살아가는 시대는 지났다. 모든 것이 일이 되고 모든 일이 직업이 되는 시대를 맞고 있다. 여러 일을 동시에 할 수 있는 '멀티 플레이어'가 되어야 살아남을 수 있다.

이런 시대에 요구되는 가장 중요한 것은 자기 관리, 자기 준비이다. 새로운 기술과 지식, 유연한 사고와 창의적 발상으로 언제든 능숙하게 대응해야 한다. 기업도 생존주기는 점점 짧아져 간다. 젊은 세대들은 과거와 달리 한 회사에 평생 머물기를 원하지 않는다. 이제 몇 번의 동종업계 이직뿐 아니라 전혀 새로운 커리어 도전도 하게 될 것이다.

직장생활을 하는 직장인들도 야간이나 주말을 활용하여 자신의 또 다른 부캐를 이용하여 유튜브 등의 콘텐츠를 생성하고 투자활동도 한다. 기업 또한 빠르고 예측 불가능한 환경변화, 디지털 전환에 따른 기회와 위협에 대응하기 위해 인재관을 새롭게 정립하고 있다.

이런 시대는 어떤 인재가 필요할까?
미래의 인재들은 과거와 달리 박스나 사일로에 갇혀 있거나 특정 비즈니스만을 잘하는 사람들보다는 이를 넘어 사고를 확장할 수 있고 다양한 경험과 유연성을 갖춘 사람일 가능성이 높다. 그러므로 앞으로는 포트폴리오 커리어가 더 중요해질 것이라는 주장이다. 포트폴리오 커리어를 구축하기 위해 노력하는 사람들은 현재의 직업에 머물지 않는다.

호기심을 가지고 다양한 경험을 해본다. 다양한 기술들을 습득한다. 또한 습득한 다양한 기술과 직무에 필요한 기술을 창의적으로 연결하는데 숙련되어 있다. 이에 새로운 기회를 위해 자신을 홍보하고 심지어 만들 수 있는 준비가 더 잘 되어 있는 것이다. 전문가들은 산업혁명이 시작된 이래 유지되어오던 '일자리 시대'가 산업혁명 이전의 '일거리 시대'로 다시 회귀하는 추세라고 말한다.

유엔미래포럼 한국대표인 박영숙의 저서 '메이커의 시대(미래 일자리)'라는 유엔보고서 책자에서 "2030년대 즈음에 일자리의 시대에서 일거리의 시대로 바뀐다"라고 말한다.
혹시 개인적으로 부담이 된다면, '일거리'를 '일자리로 가기 위한 경험을 부여해줄 징검다리 활동'으로 보면 좋다.

따라서 오랫동안 일하면서 비교적 높은 보수를 받았던 안정된 형태의 '주된 일자리'에서 벗어난 이후에도 재취업 등을 통해서 일해야 할 필요성이 있는 신중년들은 이제 기존에 유연하지 않은 생각에서 벗어나 세상의 변화에 따르는 방법론도 좋은데 그 중 하나가 바로 '포트폴리오 커리어'이다. 또한, 자신이 직장인들이라면 빈 백지 하나를 꺼내서 자신의 포트폴리오 커리어를 하나씩 원으로 표시해보자.

지금까지 내가 경험한 것이 무엇일까? 내가 잘하는 것은 무엇일까? 두 번째, 이들을 연결해보라. 이들을 연결함으로써 어떤 새로운 가능성을 만들 수 있을까? 마지막으로는 여기에 추가하고 싶은 포트폴리오가 무엇인지 더해보라. 어댑터블하고 유연한 포트폴리오 커리어를 구성해 나가보라. 이것이 예측이 어려운 미래를 효과적으로 대응하는 방법이 될 것이다.

인생 1막을 마치고 난 이후에도 안정된 일자리에서 일하고픈 인간의 욕구는 당연하지만, 베이비붐 세대의 본격적인 퇴직이 시작되는 현시점의 높은 재취업 경쟁률 속에서 이전과 달리 질적이고도, 안정된 일자리를 찾기는 점점 어려워진다.

아래 변화의 시간이 빨라진 현시점에서 여러 가지 장애물을 넘어야만 하는 재취업보다는 '혼자 하는 일', 혹은 여러 개의 '파트타임 일'을 묶어서 동시에 해보라고 조언한다. 이전과 달리 장기간의 고용을 제공하는 일자리는 점점 줄어들기 때문이다. 특히 안정된 일자리만 희망하면서 장기간에 걸친 구직기간을 허비할 수 없는 처지라면 평소에 생각하지 않던 '파트타임 일' 등에 관심을 가져보면 어떨까? - 강성남 칼럼위원(담양문화원장)-

<담양뉴스>

한마디로 포트폴리오 커리어 인재는 한 분야 전문성이 있는 것이 아닌 다수에 전문성이 있는 사람을 말한다. 한 가지 일만 잘 하는 사람이 아닌 다수에 일을 할 수 있는 사람이다. 지금은 포트폴리오 커리어 인재 한 명이 10명의 가치를 창출하는 시대다. 앞에서도 포트폴리오 커리어 인재에게 가장 중요한 것이 자기관리라고 했다. 20,000명 심리 상담, 코칭 하면서 목이 터져라 말하는 것이 있다. 어떤 분야든 모든 것에 기본은 자자자자멘습궁이다. (자존감, 자신감, 자기관리, 자기계발, 멘탈, 습관, 긍정) 모든 분야에 본질, 기본, 기초인 자자자자멘습궁이 받쳐줘야 인재로 거듭날 수 있다.

그래서 세계 최초로 자자자자멘습궁 학습, 연습, 훈련할 수 있는 시스템을 만들었다. 세계에서 자자자자멘습궁 학습, 연습, 훈련 하는 기관은 www.방탄자기계발사관학교.com 뿐이다. 상담받길 바란다.

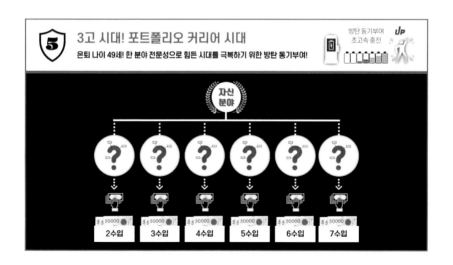

세상에서 가장 쉬운 방법은
벤치마킹!

자신 전문 분야 외에 다수에 전문 분야를 만들기가 쉽지 않다. 하지만 자신 분야와 연결이 되는 전문 분야를 만들기는 생소한 전문 분야 만들기 보다는 수월하다. 일을 하는데 동기부여가 한가지면 동기부여가 약하지만 동기부여가 6가지라면? 수입을 창출할 수 있는 곳이 6곳이라면? 동기부여는 5G 속도로 높아진다.

어떻게 자신 분야 전문성으로 다수에 전문성과 연결을 시킬 것인가? 끊임없이 학습, 연습, 훈련해야 한다. 세상에서 가장 쉬운 방법은 하고 있는 사람 것을 벤치마킹하는 것이다. 필자가 하고 있는 포트폴리오 커리어 시대에 맞는 포트폴리오 커리어 인재가 되기 위해 자신 분

야를 다수의 전문 분야 인기시키고 있는 것을 참고해서
배치며 강하긴 바란다.

3고 시대! 포트폴리오 커리어 시대
은퇴 나이 49세! 한 분야 전문성으로 힘든 시대를 극복하기 위한 방탄 동기부여!

3고 시대! 포트폴리오 커리어 시대
은퇴 나이 49세! 한 분야 전문성으로 힘든 시대를 극복하기 위한 방탄 동기부여!

3고 시대! 포트폴리오 커리어 시대

은퇴 나이 49세! 한 분야 전문성으로 힘든 시대를 극복하기 위한 방탄 동기부여!

3고 시대! 포트폴리오 커리어 시대

은퇴 나이 49세! 한 분야 전문성으로 힘든 시대를 극복하기 위한 방탄 동기부여!

20,000명 심리 상담, 코칭으로
알게 된 사람들이 바라는 6가지 시스템!

1 커피숍에서 지인과 대화 중에도 돈이 입금되는 시스템?

2 자고 있는데 돈을 버는 시스템?

3 여행 중에도 돈이 입금되는 시스템?

4 사무실, 직원이 필요 없는 시스템?

5 건물주처럼 월세가 입금되는 시스템?

6 집에서 댕댕이와 휴식하고 있는데 돈이 입금되는 시스템?

세계 최초! 출판계의 혁신!
돈이 들어오는 6가지 시스템을
가능하게 하는 것이

방탄book기술력!

평균 희망 은퇴 73세, 현실 은퇴 나이 49세!
100세 시대 언제까지 몸(노동)으로만
일해서 돈을 벌 것인가?

세상, 현실 기준에서 스펙, 돈, 인맥, 자산 등이
없어서 100세까지 노동을 해야 되고 몸까지 아
프면 더 답이 없는 상황! 젊을 때는 100가지 중
99가지를 할 수 있지만 나이 들면 100가지 중
99가지를 할 수 없다. 3고 시대, AI 시대, 챗
GPT 시대에 자신의 직업이 사라 질 수 있는 상황
에서 어떻게 준비, 대비할 것인가?

 방탄BOOK기술력
선택이 아닌 필수!

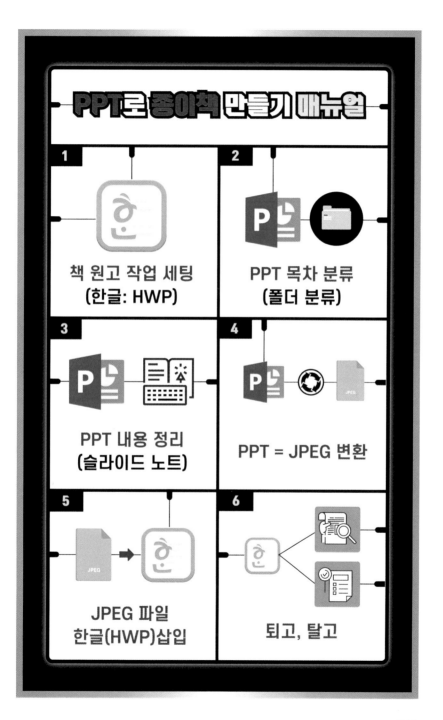

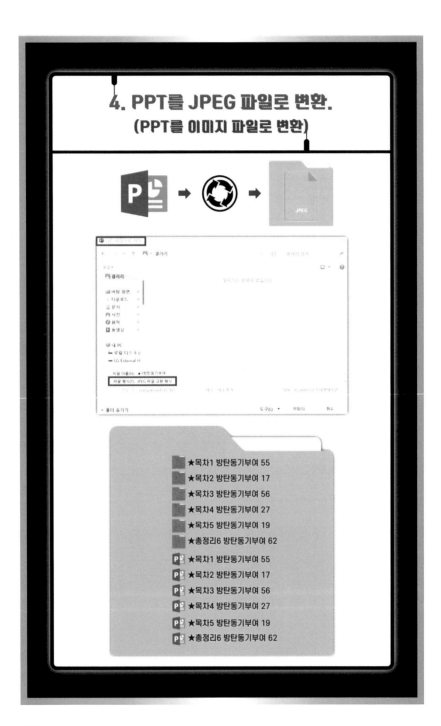

한글(HWP)원고에 PPT에서 작업한 슬라이드 이미지와 슬라이드 내용 설명한 것을 삽입하기 위해서 JPEG 파일로 변환한다.

▶ PPT → 파일 → 다른 이름으로 저장 → 이 PC → 방탄동기부여 폴더 → 파일 형식 → JPEG 파일 교환 형식 → 저장 → 모든 슬라이드

위 그림과 같이 6개의 JPEG 파일 폴더가 만들어졌다.

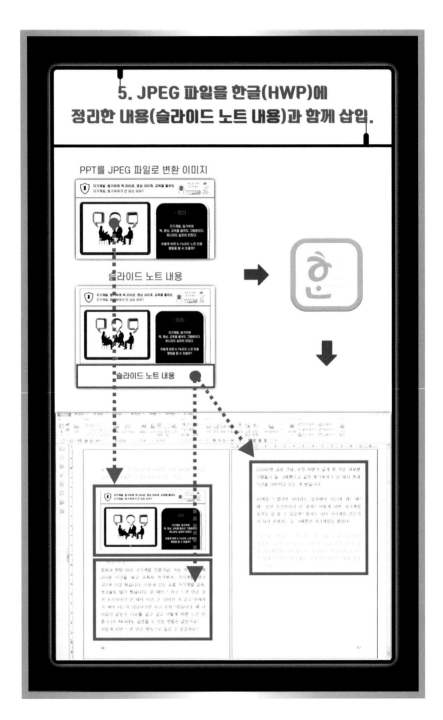

PPT를 JPEG 파일로 변환한 이미지와 슬라이드 노트 내용에 슬라이드 내용 설명한 것을 종이책 규격에 맞춰 세팅해놓은 한글(HWP)원고에 JPEG 파일은 삽입하고 내용은 복사해서 붙여넣기 한다.

여기서 참고할 것이 PPT 슬라이드 크기가 2종류로 나누어진다. 표준(4:3), 와이드 스크린(16:9)이 있다.

표준을 많이 사용하지만 와이드 스크린 사이즈도 JPEG 파일로 변환해서 한글(HWP)원고에 삽입하면 이상 없이 들어간다. 예시 이미지는 와이드 스크린(16:9) 사이즈다.

▶ 한글 → 입력 → 그림 → JPEG 파일 보관 폴더 → JPEG파일 클릭 → 문서에 보관 체크 → 글자처럼 취급 체크 → 넣기

5. JPEG 파일을 한글(HWP)에 정리한 내용(슬라이드 노트 내용)과 함께 삽입.

★목차1 방탄동기부여

★목차2 방탄동기부여

★목차3 방탄동기부여

★목차4 방탄동기부여

★목차5 방탄동기부여

★총정리6 방탄동기부여

원고 작업 세팅한 비어 있는 한글 파일을 목차가 5개라면 5개로 복사한다. 그 이유는 PPT를 JPEG 파일로 변환을 하면 이미지가 용량을 많이 차지한다. 그래서 한글 파일 용량이 늘어나서 저장을 할 때 시간 소요가 많이 들어가서 비효율적이다.

시간 소요를 줄이기 위해 목차별로 나누어서 작업을 하면 한글 원고 작업을 수월하게 할 수 있다.

5. JPEG 파일을 한글(HWP)에 정리한 내용(슬라이드 노트 내용)과 함께 삽입.

한글 원고 작업이 끝나면 <u>문서 끼워 넣기</u>로 5개(목차1~목차5) 한글 파일을 한 개로 만든다.

★목차1 방탄동기부여	
★목차2 방탄동기부여	
★목차3 방탄동기부여	★방탄동기부여
★목차4 방탄동기부여	목차1 ~ 목차5/총정리
★목차5 방탄동기부여	
★총정리6 방탄동기부여	

입력(D) ▾	서식(J) ▾	쪽(`
표(T)	▸	
그림(P)	▸	
개체(O)	▸	
캡션 넣기(M)	▸	
상호 참조(E)...	Ctrl+K,R	
⊡ 필드 입력(G)...	Ctrl+K,E	
양식 개체(J)	▸	
🗐 문서 끼워 넣기(F)...	Ctrl+O	

한글(HWP)원고에 JPEG 파일은 삽입하고 내용은 복사해서 붙여넣기 한 한글 파일 목차1 ~ 목차6을 한글 하나로 합쳐야 한다. 문서끼워 넣기로 한글 파일 한 개로 만들면 된다.

▶ 한글 ★목차1 방탄동기부여 열기 → 커서를 페이지 가장 밑에 둔다 → 입력 → 문서 끼워 넣기 → ★목차2 방탄동기부여 클릭 → 문자 모양 유지 체크 → 문단 모양 유지 체크 → 스타일 유지 체크 → 문서 끼워 넣기 한 파일 → 넣기

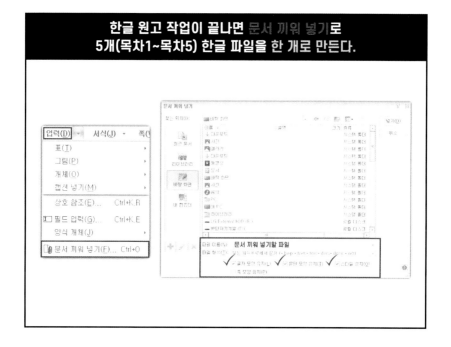

대한민국 99%가 책 쓰기, 출간하는 방법만
교육, 코칭 한다!
6가지 수입 창출 책 쓰기, 출간 기술력을
교육, 코칭 하는 곳은 방탄book뿐이다.

방법만 배우면 돈이 계속 나가지만
방탄book기술력을 배우면
돈은 계속 들어온다.

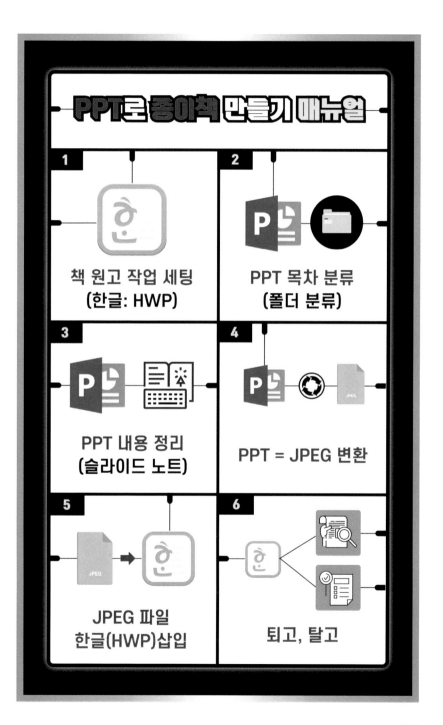

6.퇴고, 탈고
(종이책 출간을 위한 최종 점검)

책 출간을 위한 체크리스트

- ☑ 오타 확인
- ☑ 이미지 삽입 후 위, 아래, 좌, 우 간격 확인
- ☑ 머리말 입력
- ☑ 목차 입력
- ☑ 목차 페이지 번호 입력
- ☑ 참고문헌, 출처 정리
- ☑ 원고 마지막 장 판권지 입력

★ 퇴고, 탈고의 본질

한글(HWP)원고 작업에 마지막 단계인 퇴고, 탈고다.

책 쓰기 5단계
원고 → 초고 → 퇴고 → 탈고 → 투고

원고는 책을 쓰기 위한 한글(HWP)원고 기본 규격 세팅 단계다.
초고는 초벌로 쓴 원고다.
퇴고는 원고를 고쳐 쓰는 단계다.
탈고는 원고를 마무리하는 단계다.
투고는 마무리 한 원고를 출간하기 위해 출판사에 보내는 단계다.

투고의 해석 "내 원고 한번 읽어 보고 대중적으로 인기가 있을 거 같거나 돈이 될 거 같으면 1,000만 원 ~ 3,000만 원 투자해서 출간 해주세요." 라는 직설적인 의미가 있다.
이것을 로또 2등과 같다고 하는 기획출판이라고 한다. 그래서 아무나 기획출판을 하지 못한다. 필자의 대표적인 기획 출판의 책이 《나다운 방탄멘탈》이다. 300개가 넘는 출판사에 출판 기획서를 만들어서 보냈다. 거절 메일이 몇 개가 왔을 거 같은가? 누군가는 투고 스트레스 때문에 원형 탈모가 오고 소화불량, 우울증까지 걸린 사람도 있다. 당연한 것이다. 1,000만 원 ~ 3,000만 원 (책 한 권 작업하는 모든 비용인 인건비, 책 부수, 홍보비, 유통비, 물류비...)을 투자해 주는데 아무나 기획출판을 해주겠는가? 출판사에서는 리스크를 감수하고 기존에 경험과 가능성으로 기획출판을 하기 위해서 신중에 신중할 수밖에 없다. 하루 만에도 대형 출판사에 평균 투고 원고가 100개 이상이 온다고 한다.

그래서 대부분 책 출간하는 사람들이 자비출판, 대필 출판을 한다. 돈만 있으면 투고 스트레스 없이 책을 출간할 수 있기 때문이다. 그래서 시간의 여유가 없고 책 쓰기를 해보지 않은 사람들, 국회의원, CEO, 유명인사들 대부분이 대필 출판을 한다. 대필 출판이 불법, 이상한 것이 아니다. 머릿속에 있는 내용을 말로는 하기 쉬운데 글로 쓰고 정리하는 것이 힘들기에 대필 전문가에게 의뢰를 해서 책을 출간한다. 자비 출판은 자신이 써 놓은 원고가 있는 상태에서 100만 원 ~ 500만 원 들어가고 대필 출판은 원고가 없어도 가능하며 기본 400만 원 ~ 1,000만 원까지 들어간다. 대필 출판은 책 출간이 아니라는 말이 있다.

'책을 출간 한다.'기 보다는 '책을 산다.'라는 말이 더 가깝다. 그래서 원고를 직접 써본 사람과 안 써본 사람 차이는 하늘과 땅 차이이다. 대필 출판인지 아닌지 알 수 있는 방법이 있다. 그것은 방탄book기술력 코칭 때 배우게 된다.

책을 한 권 출간하면 2권 ~ 3권을 출간할 수 있는 가능성이 생기고 2권 ~ 3권을 출간하면 10권을 출간할 수 있는 가능성이 생기며 10권을 출간하면 100권을 출간할 수 있는 가능성이 생긴다. 한마디로 한 가지를 이루면 더 큰 것을 이룰 수 있는 개미 성취감이 누적되어 상상할 수 없는 결과가 나오는 것이다.

필자가 종이책 150권, 전자책 250권 총 400권 출간할 수 있는 비결 중에 한 가지가 독립(개인, 자가)출판인 방탄book기술력으로 출간 했다는 것이다.

지금 당신이 보고 있는 이 책의 내공, 가치 값어치가 책 값의 1억 배는 가져간다는 것을 명심해야 한다. 단언컨대 대한민국, 세계 어디에서도 방탄book기술력을 배울 수 없다. 오직 방탄book사관학교에서만 가능하다.

다음은 오타 체크를 하면 할수록 계속 나오는 이유가 왜 그러는지 깨닫게 해주는 내용이다.

출간 후 대놓고 보이는 오타! 왜 여러 번 퇴고해도 못 찾을까? 읽지 않고 보기 때문이다. 내가 쓴 글은 이미 내용을 잘 알고 있다. 이 문장 다음에 무슨 내용이 나올지 이미 안다. 출판사 교정 교열 담당자도 마찬가지. 여러 차례 반복해서 읽다 보면 자연스럽게 내용이 외워진다. 그렇게 되면 '읽는다.'고 생각하지만 착각이다. 실제로는 그저 눈으로 '보기만' 한다.

글 전체를 텍스트가 아니라 하나의 이미지로 인식하는 것이다. 그러니 첫 줄부터 대놓고 오타가 있어도 발견하지 못하는 일이 생긴다. 남이 쓴 글에 오타가 잘 보이는 이유기도 하다. 내용을 모르니 자세히 '읽기' 때문이다.

이것이 퇴고 과정에서 한 번은 소리 내어 읽어야 하는 이유다. 김영하 작가님의 책 <보다 읽다 말하다>라는 제목이 정답을 말하고 있다. 보지 말고 입으로 소리 내어 읽어야 한다.

<네이버 블로그 카루의 프리랜서 라이프>

오타 체크하는 방법이 여러 가지가 있다. 필자가 하는 방법을 소개하겠다. 네이버 맞춤법 검사, 한국어 맞춤법/문법 검사기다. 가장 많이 사용하는 것이 네이버 맞춤법 검사기다. 100% 정확하지는 않지만 간접적인 퇴고하기 위한 오타 체크로는 쓸만하다.

필자가 하는 방식은 이렇다.

1차로 작업해 놓은 원고 내용을 복사해서 네이버 맞춤법 검사기에 300자 이하로 붙여 넣기 하고 몇 백번 반복으로 전체 원고 오타 체크한다. 2차로 직접 목소리를 내면서 읽고 오타 체크를 한다. 3차로 원고 전체 인쇄를 해서 3자에게 오타체크를 부탁한다. (같은 분야 종사자, 책 분야 종사자, 아내, 친구, 지인...)

원고 퇴고는 오로지 글 오타 체크가 주목적이 아니다. 퇴고의 주목적은 자신이 쓴 글을 다시금 정리하고 다듬어서 자신 분야 삼성(진정성, 전문성, 신뢰성)을 향상, 선한 영향력을 끼치기 위한 인생, 사람들에게 도움이 되는 인생, 세상에 필요한 사람이 되기 위한 인생, 지혜로운 인생을 살아가기 위한 행동을 하게 만드는 작업이다.

퇴고를 편하게 하고 싶다면 교정, 교열 전문가에게 맡겨도 된다.

A4 기준 / 글자 크기 10 / 줄 간격 160%
장당 1,000원 ~ 10,000원
(100페이지: 1,000*100= 100,000원)
(100페이지: 5,000*100= 500,000원)
A5는 500원 ~ 5,000원

전문가 일지라도 100% 오타 체크가 되지 않는다. 1차 체크하고 받아서 자신이 체크하고 다시 보내면 2차 체크하고 자신이 체크하는 식으로 3차까지 하고 3차 이후에는 추가 비용이 발생한다.

한글(HWP)원고에 JPEG 파일을 삽입 하면 JPEG 이미지가 한글 규격 세팅해 놓은 규격대로 위, 아래, 좌, 우 변화 없이 삽입되는데 줄 간격은 맞지 않아서 이미지를 한 장씩 맞춰 줘야 한다.

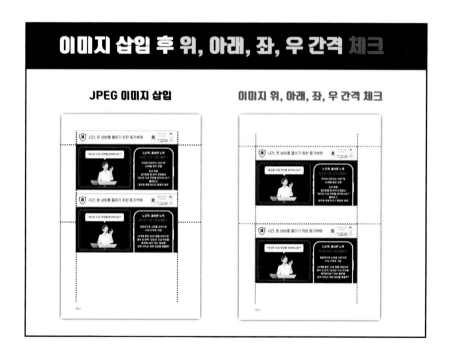

279

머리말의 국어사전 뜻.

책이나 논문 따위의 첫머리에 내용이나 목적 따위를 간략하게 적은 글. 말이나 글 따위에서 본격적인 논의를 하기 위한 실마리가 되는 부분.

<국어사전>

간단히 정리를 하면 책이 추구하는 목표, 방향이라고 생각하면 된다. 다음으로 나오는 2권의 책 머리말을 참고하자. 《300만원 동기부여 강의》, 《1조 리더십 강의》

방탄동기부여 PPT를《300만원 동기부여 강의》책으로 출간 했던 머리말.

머리말

세상에 동기부여 못하는 사람은 없다. 단지 동기부여 잘 하는 방법을 모를 뿐이다.

특허청 등록! 등록 번호: 제 40-2072344 호

[최보규 자기계발코칭 창시자]

20,000명 심리 상담, 코칭 / 15년 2,000권 독서

자기계발서 100권 출간 / 강사 15년, 강의 6,000회

7G 직업

(출판사 대표, 작가, 심리 상담사, 코칭 전문가, 강사, 유튜버, 한집의 가장)

45년간 습관 320가지 만듦...

많은 경력과 시행착오, 대가 지불, 인고의 시간을 통해 알게 된 동기부여를 세계 최초로 공개한다.

스마트폰은 사용하지 않아도 배터리가 소모되듯 동기부여 또한 숨만 쉬어도 소모가 된다. 누군가에 의해서 충전하면 하루(1일) 가지만 초고속 충전하는 방법을 알면 100년 지속할 수 있다.

어떤 강의에서도 말하지 못한 동기부여!
어떤 강사도 말하지 못한 동기부여!

어떤 책에도 없는 동기부여!
어떤 영상에서도 볼 수 없는 내용의 동기부여!

방탄리더십 PPT를 《1조 리더십 강의》책으로 출간 했던 머리말.

머리말

3고(고물가, 고금리, 고환율) 시대, 포노 사피엔스 시대, 4차 산업 시대, AI시대, 챗GPT 시대... 빠르게 변하는 현실 속에서 점점 더 힘들어지는 상황을 극복하고 차별화 리더십이 아닌 초월 리더십으로 업데이트하기 위한 방탄리더십 5단계 시스템!

1단계
노벨상 수상자 리더십, 성공한 리더의 리더십은 다 잊어라! 4차 산업 시대는 4차 리더십인 방탄 리더십 업데이트를 통해 천재지변 리더가 아닌 천재일우 리더
2단계
스트레스 관리, 마인드컨트롤이 잘 되는 리더 자존감, 멘탈 배터리 고속 충전하는 방법
3단계
삼성(진정성, 전문성, 신뢰성)을 높이는 습관을 통해 리더 행복 초고속 충전하는 방법
4단계

리더 자기계발, 동기부여책 200권, 영상 300개, 교육을 들어도 리더 자기계발, 동기부여가 안 되는 이유

5단계

퇴사를 막고 인재가 오래 머물게 하는 방탄 리더 품위 유지의무 10계명

리더는 누구나 하지만 방탄 리더는 아무나 못한다.

방탄 리더 1명이 10만 명을 변화시키고 먹여 살린다.

누구나 방탄 리더가 될 수 있었다면 난 절대로 방탄 리더를 선택하지 않았을 것이다.

어떤 강의에서도 말하지 못한 리더십!

어떤 강사도 말하지 못한 리더십!

어떤 책에도 없는 리더십!

어떤 영상에서도 볼 수 없는 내용의 리더십!

방탄 리더십 PPT는 목차 1 ~ 목차 6 까지 있다.

그림과 같이 PPT에 있는 목차를 그대로 한글 원고에 옮겨 쓰면 되고 목차 안에 세부적인 부 목차도 쓰면 된다. 방탄동기부여 PPT를 《300만원 동기부여 강의》책으로 출간했던 목차를 참고하자.

목차 입력

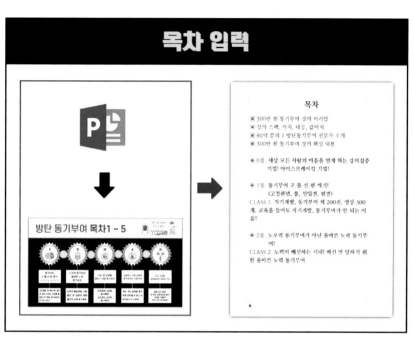

목차 입력

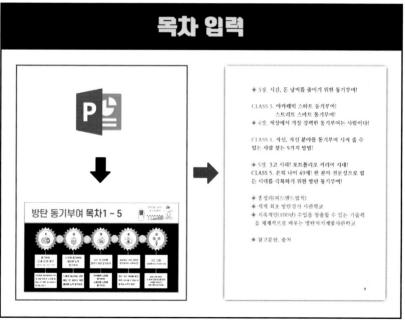

원고 1페이지부터 마지막 페이지까지 한 장씩 보면서 페이지 번호를 입력하면 된다. 페이지 번호가 틀리면 안 되기에 페이지 번호 입력한 다음에 한 번 더 확인해 주면 좋다. 방탄동기부여 PPT를 《300만원 동기부여 강의》 책으로 출간했던 목차 페이지 번호를 참고하자.

이미지, 스토리텔링, 책에서 발췌한 스토리텔링, 기사 내용, 보도 자료, 영상 정리한 내용, 유튜브 영상을 정리한 내용 등이 있다면 출처를 정확하게 밝혀야 한다.

출처를 남기지 않아 법적 조치(저작권법)를 당할 수도 있다는 것을 명심하자.

287

출판의 중요한 정보가 있는 마지막 페이지다.
bookk출판사 양식을 참고하고 이미지는 출간 승인 완료
된 《300만원 동기부여 강의》 책 판권지다.

어린 왕자(제목을 적어주세요)

발   행 | 2024년 00월 00일
저   자 | 생텍쥐 페리(저자명, 필명을 적어주세요)
펴낸이 | 한건희
펴낸곳 | 주식회사 부크크
출판사등록 | 2014.07.15.(제2014-16호)
주   소 | 서울특별시 금천구 가산디지털1로 119 SK트윈
타워 A동 305호
전   화 | 1670-8316
이메일 | info@bookk.co.kr

ISBN |

www.bookk.co.kr

6.퇴고, 탈고
(종이책 출간을 위한 최종 점검)

판권지

300만원 동기부여 강의
(동기부여 일타강사! 동기부여 사용 설명서!)

발 행 | 2023년 11월 11일
저 자 | 최보규
편 집 | 서윤희
디자인 | 최보규
마케팅 | 최보규
펴낸이 | 한건희
펴낸곳 | 주식회사 부크크
출판사등록 | 2014.07.15.(제2014-16호)
주 소 | 서울특별시 금천구 가산디지털1로 119 SK트윈타워 A동
305호
전 화 | 1670-8316
이메일 | info@bookk.co.kr

ISBN |

www.bookk.co.kr

354

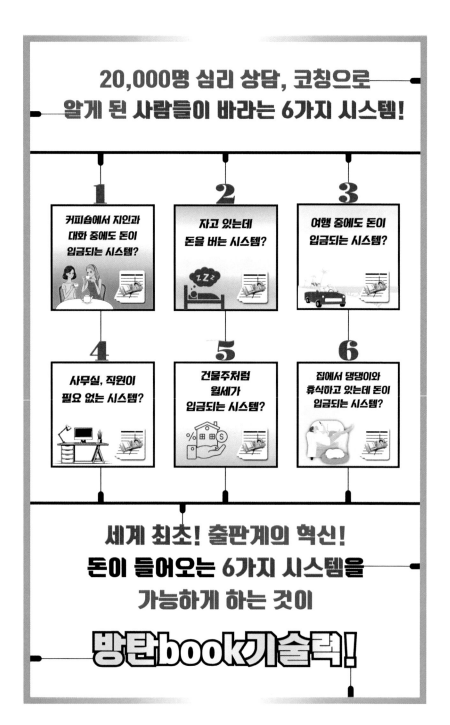

평균 희망 은퇴 73세, 현실 은퇴 나이 49세!
100세 시대 언제까지 몸(노동)으로만
일해서 돈을 벌 것인가?

세상, 현실 기준에서 스펙, 돈, 인맥, 자산 등이 없어서 100세까지 노동을 해야 되고 몸까지 아프면 더 답이 없는 상황! 젊을 때는 100가지 중 99가지를 할 수 있지만 나이 들면 100가지 중 99가지를 할 수 없다. 3고 시대, AI 시대, 챗GPT 시대에 자신의 직업이 사라 질 수 있는 상황에서 어떻게 준비, 대비할 것인가?

 방탄BOOK기술력
선택이 아닌 필수!

세계 최초

방탄
BOOK
기술력

| Google 자기계발아마존 | ▶ YouTube 방탄자기계발 | NAVER 방탄BOOK | NAVER 최보규 |

4장. 출판사 등록 매뉴얼

자비출판이 1권 평균 300만 원 발생한다.150권 출간했다면 300*150=4억 5천만 원이 발생했을까? 아니다! 방탄book기술력이 있다면 0원이면 가능하다. 방탄book기술력이면 10권, 100권, 1.000권 출간도 0원으로 할 수 있다.
5단계로 쉽게 종이책을 출간할 수 있는 방탄book기술력을 세계 최초로 공개한다.

1. 자비출판이 1권 평균 300만 원 발생한다. 누군가는 100권 출간하는데 300,000,000원이 늘어가고 누군가는 100권 출간하는데 0원이 늘어간다.

필자가 방탄book기술력을 통해 부크크출판사(종이책, 전자책), 유페이퍼(전자책)에서 3년 동안 종이책 150권, 전자책 250권 총 400권을 등록하고 출간할 수 있었던 부크크출판사의 등록 매뉴얼을 시작하겠다.

시중에 출판사 90%가 책을 대량으로 생산한 후 재고를 판다. 그래서 자비출판이 기본 300만 원부터 시작을 하는 이유다. 부크크출판사(자가출판)는 출판 비용이 0원인 이유가 POD(책을 미리 생산하지 않고 주문이 들어오면 필요한 수량만 생산 시스템) 시스템이여서 가능하다.

종이책 등록 매뉴얼, 출판사 등록 매뉴얼을 배우기 위해서는 가장 먼저 등록할 출판사의 운영 방식을 알아야 된다. 다음은 부크크출판사(자가출판)의 운영 방식내용이다.

POD, 자가출판 플랫폼 "부크크(BOOKK)"
대량으로 책을 생산한 후 재고를 판매하는 방식으로 운

영되던 출판 산업에 새로운 변화를 가져온 출판 플랫폼 '부크크'

책을 먼저 생산하고 고객에게 주문을 받아서 판매하던 방식을 고객이 주문한 다음 수량에 맞게 생산해서 판매하는 방식 필요한 만큼의 책 제작이 가능해져, 재고 부담과 보관비용이 사라졌습니다. 출판 비용도 '0'원이 되었습니다.

이로써 세상에 알려지지 않았던 소중한 이야기들이 한 권의 책으로 탄생할 수 있게 되었습니다.

그렇게 10년이 흐른 지금 출간 도서 31,618종, 출간 저자 28,867명 이야기들이 ISBN 발급받은 한 권의 책이 되어 다양한 독자들에게 전해지고 있습니다.

원고와 표지 디자인만 있다면 부크크에서 출판이 가능합니다! 대부분의 경우 논스톱 출판이 가능하지만, 특별한 경우에는 반려되기도 해요. 반려 사유 수정 후 다시 제출해 주시면, 재심사를 도와드립니다. 교정&교열, 표지 디자인이 필요하시다면 작가 서비스에서 구매도 가능합니다. 주문 제작 방식으로 출판 과정에서 발생되는 비용&재고 '0'원(최소 주문 1권)

부크크는 책 제작이 아닌 책 주문 후 정산해 드리는 방식이기 때문에 출간 비용이 없습니다.

부크크 내 사이트 판매 기준: 인세 컬러 15%, 흑백 35%, 전자책 70%. 부크크에서 제작한 책은 대형 유통사에서 판매하실 수 있습니다. 부크크와 인세가 다릅니다. 흑백 15%, 컬러 10% 전자책은 부크크에서만 판매가 가능합니다.

온라인 유통망 확보(교보, 예스24 ,알라딘, 카카오 브런치 스토리, 북센 등)

10년이 넘는 시간 동안 부크크는 작가 분들께서 더 쉽고 편하게 책을 만들 수 있는 방법을 찾기 위해 고민하고, 다양한 시도를 해왔습니다.

그 결과 현재의 5단계 원스톱 출판 서비스가 제공되고 있습니다. 서비스는 아래와 같은 순서로 구성되어 있으며, 전자책의 경우 '도서 형태' 카테고리를 제외한 4단계로 구성되어 있습니다.

도서 형태(종이책) → 원고 등록 → 표지 디자인 → 가격 정책 → 최종 확인

<부크크(bookk)출판사>

누구나 노오력은 한다. 그래서 노력이 배신하는 시대가 되어 버렸다. 노오력만 하니 시간, 돈 낭비가 되어 결과도 나오지 않는다. 올바른 노력을 해야만 시간, 돈 낭비를 최소의 비용으로 최대의 효과를 내어 큰 결과물을 만들어 낼 수 있다.

이제는 올바른 노력을 알려주는 방탄book기술력을 활용

한 책 출간, 출판사 등록 매뉴얼을 통해 자신 분야와 6가지 수입을 연결시켜 월세, 연금성 수입이 나오는 무인 시스템을 만들자. 종이책 150권, 전자책 250권 총 400권 출간한 비밀을 모두 오픈한다. 기대해도 좋다. 책 출간, 출판사 등록 매뉴얼 시작한다.

대한민국 99%가 책 쓰기, 출간하는 방법만
교육, 코칭 한다!
6가지 수입 창출 책 쓰기, 출간 기술력을
교육, 코칭 하는 곳은 방탄book뿐이다.

방법만 배우면 평생
몸을 움직여서 돈을 벌어야 하지만
방탄book기술력을 배우면 움직이지
않아도 돈을 벌수 있는 자동 시스템을 만든다.

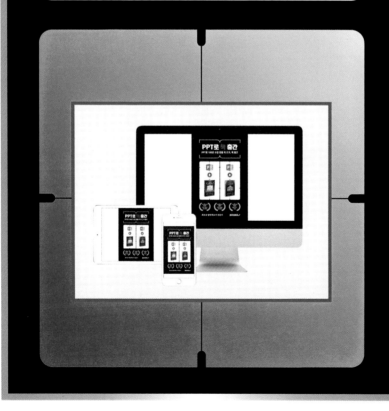

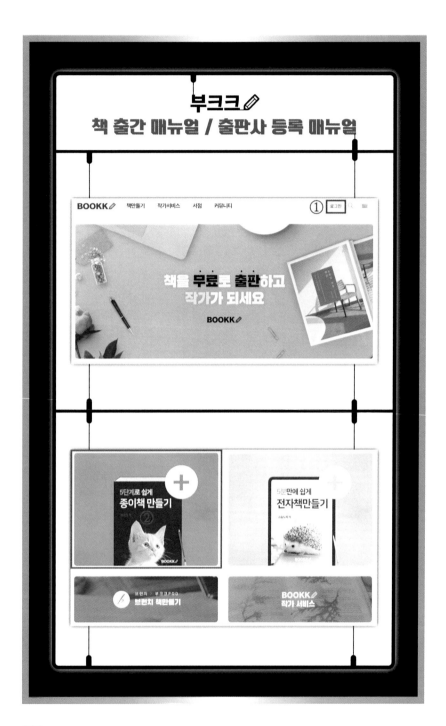

네이버에서 부크크를 검색하면 홈페이지가 나온다. 홈페
이지에 들어가서 회원가입을 하고 메인 화면에 책 만들
기를 클릭하면 5단계로 쉽게 종이책 만들기가 나온다.
클릭해서 들어가면 책 출간 1단계로 진입한다.

방탄동기부여 PPT를 《300만원 동기부여 강의》책을
만들었던 부크크출판사에 등록 시스템을 세계 최초로
설명하겠다.

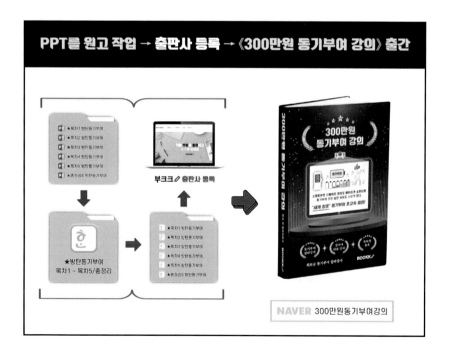

① 책표지. 책 표지는 컬러만 있고 책 내지는 흑백, 컬러로 할 것인가 선택한다. 컬러로 하면 2배 정도 책값이 올라간다고 보면 된다. 《300만원 동기부여 강의》 책은 컬러로 선택을 했다. 이유는 이미지가 많고 일반 책들이 흑백으로 하는 경우가 많아서 차별화를 두기 위해 컬러로 했다. PPT로 책을 출간한다면 컬러로 해야 한다. 이미지가 많은 것도 있지만 SNS 시대에 대중들의 시선이 화려한 영상, 사진에 노출이 많아져서 보는 수준이 높아졌다. 책이 흑백이라면 대중들이 어떻게 보겠는가? 시대에 맞게 컬러풀하게 가야 한다.
글만 있다면 흑백으로 하면 된다. 이미지가 있다면 책 내지를 컬러로 하는 게 좋다.

② 책 규격. A5 책 규격이다. 148*210mm 일반도서, 소설, 에세이

③ 표지 재질. 표지 컬러다. 스노우(광택있는) 스노우 250g, 유광코팅) 종이 샘플을 요청해서 확인할 수도 있다. 별표가 있는 곳 종이 샘플 요청 클릭하고 받을 주소 입력하면 무료로 받아 볼 수 있다.
필자는 150권 출간하면서 80%는 스노우(광택있는)를

선택했다.

④ 책날개. 책날개가 있는 책과 날개가 없는 책 차이점
은 이미지를 보고 판단하길 바란다.

날개가 없다고 책의 가치가 떨어지는 건 아니다.
날개가 있다고 책의 가치가 올라가는 것 또한 아니다.
하지만 이런 말이 있다. "신은 사람의 마음을 보지만 사
람은 겉모습을 본다."라는 말처럼 날개가 없는 책과 날
개가 있는 책을 보는 사람들에게 선택받을 확률은 100
명이면 100명이 날개가 있는 책을 선택한다는 것이다.

당연히 표지가 아무리 좋아도 책 내용이 좋아야 선택
하겠지만 하루만 해도 사람들은 스마트폰으로 대중매체,
유튜브, sns... 등에서 수천 개의 화려한 영상, 이미지를
본다. 이런 환경에서 자신 책이 선택받기 위해서는 사람
들의 환경, 문화, 심리, 트렌드에 맞게 화려하게 만들어
야 한다. 화려하게 해도 선택받을까, 말까이다.

선택은 자신이 하는 것이지만 20,000명 심리 상담, 코
칭 하면서 알게 된 것은 책날개를 만들지 않고 책을 출
간 했다가 후회해서 다시 책날개를 만들었다는 것을 참
고해라.

책 날개 유, 무 차이점 비교

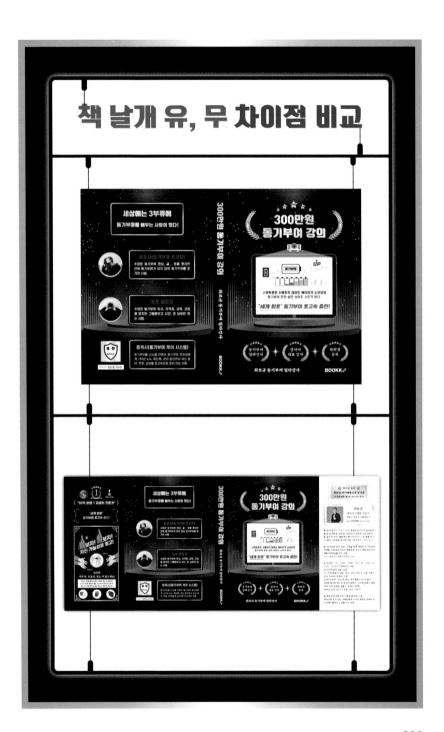

⑤ 페이지 수. 장수, 페이지 수다. 페이지 수에 따라 책 값이 정해진다. 부크크출판사에서는 50페이지 이하는 출간이 안되는 점을 참고하자. 평균 책 페이지는 250쪽 이다.

방탄book기술력 코칭을 하다 보면 이런 질문을 하는 사람이 있다.

"100페이지로 만들면 책값이 낮아지서 대중들이 더 쉽게 책을 사지 않을까요? 박리다매(薄利多賣: 물건을 평균보다 싼 가격에 많이 팔아 이득을 극대화하는 판매 전략) 전략으로 하면 좋지 않나요?"

한번 생각해 보자. 시중에 있는 책 평균 250페이지, 한 권 가격 15,000원이다. 예를 들어 100페이지, 책 가격을 5,000원으로 한다고 했을 때 사람들이 싼 책을 보는 것이 아니다. 사람의 심리는 평균에서 많이 내려가면 가치, 질이 안 좋다고 판단한다. 가장 중요한 것은 책을 보는 사람들 수준이 높다는 것이다. 책을 보는 사람보다 책을 안 보는 사람들이 몇 배로 많지만 책을 보는 사람들은 수준이 높아서 저렴한 책보다는 돈을 지불하더라도 평균보다 수준 높은 책을 원한다는 것이다.

책을 안 보는 사람을 위해 책을 쓰는 것이 아니다. 책을 좋아하는 사람들을 대상으로 책 출간을 하는 것이다. 그래서 책을 쓸 때 수준 높은 책을 써야 되고 표지만 보더라도 "수준이 높겠다." "늘 책들이 비슷비슷해서 지겨웠는데 이 책은 다르겠는데."라는 책을 만들어야 한다. 표지만 보더라도 책값에 값어치를 할 거 같은지 못할 거 같은 지가 나온다. 책 표지에 대한 세부적인 내용은 뒤에 책 표지 등록 때 나올 것이다.

⑥ 다음 페이지. 원고 등록으로 페이지로 넘어간다. 원고 등록 페이지가 실질적인 책 등록 시작이다.

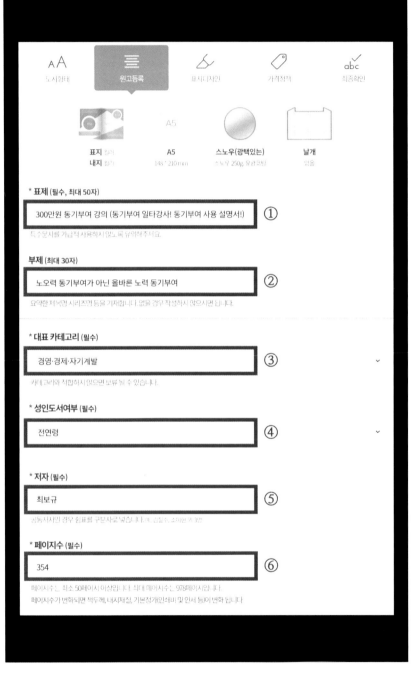

AA
노서형태

원고등록

표시디자인

가격정책

abc
최종확인

표지 칼라
내지 칼라

A5
148 * 210 mm

스노우(광택있는)
스노우 250g 유광코팅

날개
있음

* 표제 (필수, 최대 50자)

300만원 동기부여 강의 (동기부여 일타강사! 동기부여 사용 설명서!) ①

특수문자를 가급적 사용하지 않도록 남의해주세요.

부제 (최대 30자)

노오력 동기부여가 아닌 올바른 노력 동기부여 ②

요약한 제넘면 시리즈명 등을 기재합니다. 없을 경우 작성하지 않으시면 됩니다.

* 대표 카테고리 (필수)

경영·경제·자기계발 ③

카테고리와 적합하지 않으면 보류 될 수 있습니다.

* 성인도서여부 (필수)

전연령 ④

* 저자 (필수)

최보규 ⑤

공동저자인 경우 쉼표를 구분자로 넣습니다. 예: 김철수, 이이번 기 3명

* 페이지수 (필수)

354 ⑥

페이지수는 최소 50페이지 이상입니다. 최대 페이지수는 978페이지입니다.
페이지수가 변화되면 책두께, 내지재질, 기본정가(인쇄비 및 인세 등)이 변화 합니다.

① 표제(책 제목). 책 제목을 책 내용에 맞게 만드는 것도 중요하지만 더 중요한 것은 자신 책 분야가 시중에 나와 있는 책 제목과 차별화가 느껴지게 책 제목을 만들어야만 선택받을 확률이 높아진다는 것이다. 그래서 자신 책 제목을 만들기 전에 시중에 있는 서점에 들어가서 자신 분야를 검색을 해보고 전체적으로 어떤 제목들이 많으며 베스트셀러 책 제목들은 어떤 제목을 쓰는지 확인하는 것은 책 제목 짓는데 기본이다.

자녀가 태어날 때 이름을 대충 짓는가? 인기 있는 이름들을 쓰는 경우도 있지만 100년 인생을 이름처럼 살아가라고 신중하게 짓는다. 책도 마찬가지다. 인생을 살아가다가 이름을 개명하듯이 책 이름도 바꿀 수 있지만 처음부터 제대로 지어야만 책의 가치가 더해지는 것이다. 필자의 책을 예로 들겠다. 출간한 책 제목인 《300만 원 동기부여 강의》를 《동기부여 강의》로 만들었다면? 뻔하고, 식상한 책이라는 선입견이 생겨버려서 읽을 마음이 들지 않을 것이다. 기존에 동기부여 책과 다른 "이건 뭐지? 이런 책 처음 보는데?"라는 마음이 들어야 한다. 다만 제목이 튀지 않아도 표지를 럭셔리하게 만든다면 관심을 가질 수도 있다. 다음으로 나오는 이미지를 보면서 책 제목의 중요성을 참고하자.

책 제목 비교, 차이점1

예시

출간한 책

NAVER 300만원동기부여강의

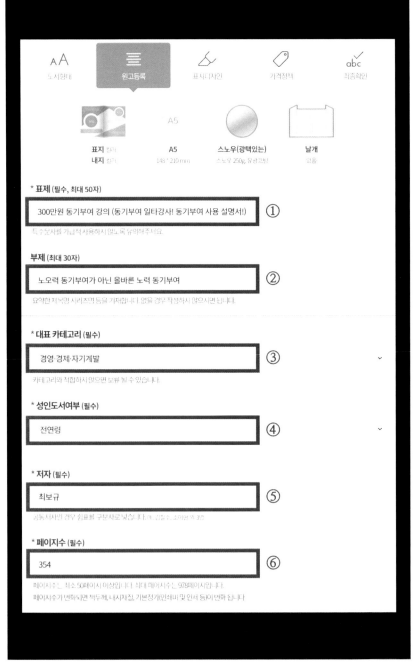

A A
노서형태

원고등록

표시디자인

가격정책

abc
최종확인

표지 컬러
내지 컬러

A5
148 * 210 mm

스노우(광택있는)
스노우 250g 유광코팅

날개
없음

* 표제 (필수, 최대 50자)

| 300만원 동기부여 강의 (동기부여 일타강사! 동기부여 사용 설명서!) | ① |

특수문자를 가급적 사용하시 않도록 유의해주세요

부제 (최대 30자)

| 노오력 동기부여가 아닌 올바른 노력 동기부여 | ② |

요약한 제목명 시리즈명 등을 기재합니다 없을 경우 작성하시 않으시면 됩니다.

* 대표 카테고리 (필수)

| 경영·경제·자기계발 | ③ |

카테고리와 적합하지 않으면 보류 될 수 있습니다.

* 성인도서여부 (필수)

| 전연령 | ④ |

* 저자 (필수)

| 최보규 | ⑤ |

공동저자인 경우 쉼표를 구분자로 넣습니다. 예. 김철수, 홍길동 외 3명

* 페이지수 (필수)

| 354 | ⑥ |

페이지수는 최소 50페이지 이상입니다. 최대 페이지수는 978페이지입니다.
페이지수가 변화되면 책두께, 내지재질, 기본정가(인쇄비 및 인세 등)이 변화 합니다

310

② 부제목. 요약한 제목명, 시리즈명 등을 기재한다. 없을 경우 작성하지 않아도 된다.

③ 대표 카테고리. 책 분야를 선택하는 곳이다. 자신 책 분야에 맞게 선택하면 된다. 강사라면 대부분 교육이기 때문에 경영, 경제, 자기계발을 선택하면 된다.

④ 성인도서 여부. 성인, 전 연령 둘 중에 하나 선택하면 된다.

⑤ 저자. 이름을 입력하면 된다. 공동저자일 경우는 쉼표로 구분해서 넣으며 된다. (예: 최보규, 최영웅 외 3명)

⑥페이지 수. 원고 총 페이지 수를 입력하면 된다. 페이지 수는 최소 50페이지 이상이어야 하고 최대 페이지 수는 978페이지다. 페이지 수에 따라서 책 두께, 내지 재질, 기본 정가(인쇄비 및 인세 등)가 정해진다.

#. 시중에 나와 있는 책 평균 가격 15,000원 / 책 페이지는 250페이지다. 페이지가 많으면 1권, 2권으로 쪼개서 출간하면 된다. (예: 400페이지라면 1권 200, 2권 200)

* 도서 제작 목적 (필수)

ISBN 출판 판매용   ⑦

ISBN 출판 판매용

부크크 외에의 다른 유통망(예: 교보도서관 등)에서도 판매가 가능합니다. ISBN을 보유시, 직접 기재도 가능합니다. 또한 무료표시를 사용하는 경우 10부 이상 판매가 되어야 외부유통에 입점이 가능합니다.

* ISBN 입력 (필수)

부크크에서 무료등록   ⑧

필수 안내사항

원고 파일은 **100MB**까지 업로드가 가능합니다.
가급적 Wifi 환경에서 업로드하여주시기 바랍니다.
파일이 큰 경우에는 빈파일을 다운로드 받고
업로드 후 info@bookk.co.kr로 원고를 보내주세요.

파일형식은 한글, MS워드, PDF 형식의 4가지 확장자만 가능합니다.
(doc, docx, hwp, pdf)

　👤 KoPub(World, Pro) 폰트는 사용을 금지합니다. 인쇄 시 완성이 무시 않음으로 반드시 다른 폰트를 사용해주세요.

　🖐 저작권이 있는 부크크 명조, 부크크 고딕입니다.

🔻 부크크 폰트가 아닌 폰트 다운로드에서 다운로드 가능합니다.
🔻 업로드한 파일이 부크크 이용 약관을 준수하는지 반드시 업로드에서 확인하세요.

원고 업로드　⑨

빈 문서 1.pdf

6KB

업로드 완료!

Step1 책형태　　　　　Step3 표지등록　⑩

⑦ 도서 제작 목적.

ISBN 출판 판매용, 일반 판매용, 소장용 3가지가 있다.

ISBN 출판 판매용은 부크크 외에 다른 유통망(예:국립도서광 등)에서도 판매가 가능하고 ISBN을 보유시, 직접 기재도 가능하며 무료표지를 사용하는 경우 10부 이상 판매가 되어야 외부 유통이 가능하다. ISBN을 단순하게 말을 하면 책의 주민등록번호라고 생각하면 된다. ISBN 번호가 있어야만 책을 판매하여 수입 창출 할 수 있는 조건이 주어진다.

일반 판매용은 외부 유통은 하지 않고 부크크 자체에서만 판매한다는 뜻이다.

소장용은 외부 유통은 하지 않고 부크크 자체에서도 판매하지 않는다는 뜻이며 '소장용' 말 그대로 자신만 본다는 뜻이다. 소장용으로 책을 출간하는 사람들은 자신 만족이나 가족, 소중한 사람들에게만 주기 위해서 만든다. 책 쓰기를 연습하기 위해서 소장용으로 만든 후에 다듬어서 다시 등록 후 심사, 승인받아서 외부 유통해서 수입을 창출하는 사람도 있다.

⑧ ISBN 입력. 부크크에서 무료 등록을 해 준다.
⑨ 원고 업로드. 원고 파일은 100MB까지 업로드가 가능하다. 파일이 큰 경우에는 빈 파일을 다운로드 받아서 업로드 후 info@bookk.co.kr로 원고를 보내면 된다.

이미지가 많은 원고는 100MB가 넘는 경우가 많다. 그래서 원고 업로드에 빈파일 hwp, 빈파일 pdf를 업로드하고 난 뒤에 부크크 메일로 원고 파일을 보내면 된다. 빈 파일 다운로드는 이미지에서 보면 빈 파일 글씨만 파란색이다. 빈 파일을 클릭하면 빈 파일을 다운로드가 된다. (hwp 빈 파일, pdf 빈 파일 2중에 하나) 다운로드 받은 파일을 원고 업로드 칸에 업로드하면 된다.

파일 형식은 한글, MS 워드, PDF 형식의 4가지 확장자만 가능하다. (doc, docx, hwp, pdf)
한글(hwp)에서 작업한 원고는 pdf파일로 변환해서 부크크출판사 메일로 보내면 된다.

⑩ 표지 등록 페이지 이동. 3단계 표지 등록 페이지로 넘어간다.

▶ 빈 파일 클릭 → 다운로드 된 한글 빈 파일 → 9번 원고 업로드에 삽입

#. 자체적으로 한글 빈 파일, PDF 빈 파일을 만들어서 업로드해도 된다.

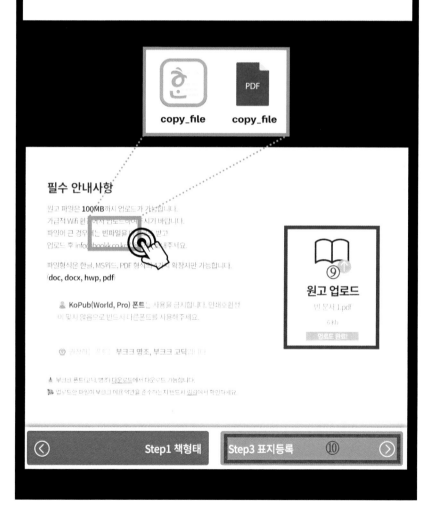

315

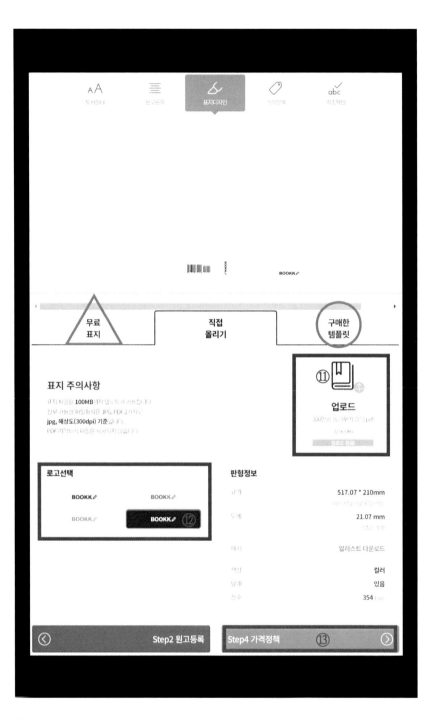

⑪ 표지 업로드. 표지 파일은 100MB까지 업로드가 가능. 첨부 가능한 파일 형식은 JPG, PDF 2가지로 jpg, 해상도(300dpi) 기준.

⑫ 로고 선택. 책 표지 바탕색에 따라 로고 색을 선택할 수 있다.

⑬ 가격정책. 4단계 가격정책 페이지로 이동한다.

책 표지는 사람으로 비유를 하면 얼굴, 외모, 첫인상이고 표지가 책의 모든 것을 좌우하기도 한다.
첫인상 효과, 초두효과라는 심리적 용어가 있다. 사람의 외모, 태도, 언어, 의상 등을 보면서 평균적으로 7초 이내에 상대방에 대한 첫인상을 형성하게 된다.

책 표지도 첫인상 효과, 초두효과처럼 책 표지, 제목, 이미지를 보고 1차적으로 책을 초이스 할지 안 할지 판단한다.

지금 어떤 시대에 살고 있는가? 스마트폰으로 인해서 하루만 해도 영상, 이미지, 글... 눈이 아플 정도로 화려한 것을 수 만개는 본다. 한마디로 지금 시대 사람들은 예전에 비해 시각적인 수준이 높아졌다는 것이다.

이런 상황에서 책 표지, 제목, 이미지가 평범하거나 호기심을 유발, 궁금증 유발 "이런 책 표지는 처음 보는데 표지가 너무 신선하다. 표지가 럭셔리하다.", 보고 싶도록 만드는 표지를 만들어야만 선택할 확률이 높아지는 것이다. 다음은 지금 현실 속 사람들의 집중력에 대한 내용이다.

겨우 8초, 금붕어보다 못한 인간의 집중력
소위 'MZ'라고 불리는 요즘 젊은 세대는 어렸을 때부터 늘 새로운 자극으로 가득한 디지털 환경에 노출된 채 자랐다. 그래서인지 한 가지 주제에 오랫동안 집중하기 상당히 어려운 뇌 구조를 지녔다고 한다. 뭔가에 집중할 수 있는 시간(Attention Span)에 관한 연구를 살펴보자. 아동이 주의해서 집중할 수 있는 시간은 얼마나 될까? '자신의 나이×1분' 정도라고 한다. 6세 어린이는 약 6분 정도 집중할 수 있다는 뜻이다. 이 시간은 개인에 따라 차이가 있고, 몰입하면 10~15분까지는 늘어날 수 있다.

너무 지루하지도 않고 그렇다고 아주 재미있지도 않은 평범한 수업을 하고 있다고 하자. 십 대 학생들은 보통 수업을 듣기 시작하면 약 10분 후부터 집중력이 떨어진다. 일반적으로 이들이 뭔가에 주의해서 집중할 수 있는 시간은 20분을 넘기기 어렵다. 따라서 수업 시작 후

10~20분이 지나면 신경전달물질이 고갈된 학생들은 이내 집중에 어려움을 느끼고 주의가 산만해진다. 그래서 유튜브 영상의 평균 길이는 15~20분이고, 테드(TED) 강연 길이는 18분이다. 집중력을 감안해 메시지를 확실히 전달하기 위한 시간이다. 드롭박스의 마케팅 신화를 쓴 실리콘밸리 최고의 마케터 션 엘리스(Sean Ellis)가 한 말을 약간 각색하여 들어보자.

"고객의 주의 집중을 원하신다고요? 사업 규모의 확장을 위해서는 시장이 원하는 언어를 사용해야 합니다. 언어의 시장 적합성이 무엇보다 중요하죠. 잠재 고객의 마음을 움직일 수 있는 말을 상상해 보세요. 당신이 만든 제품을 고객이 마주할 때 어떻게 해야 가장 효율적으로 전달할 수 있을지 생각해 보셨나요? 고객이 좋아하지 않는 언어로 구애한다면 필패입니다. 제품 가치를 알아줄 상대방이 없는 곳에서 헛스윙을 하는 거라고 생각하면 됩니다."

여기서 왜 고객의 마음을 끌어당길 언어에 몰두해야 하는지 그 이유가 나온다. 스마트폰이 생기기 전 고객이 광고에 집중할 수 있는 시간은 12초였다. 이제는 8초로 뚝 떨어졌다. 9초인 금붕어보다 못하다.

주의집중 시간의 변화

12초 - 2000년 인간의 평균 주의 집중 시간

8초 - 2015년 인간의 평균 주의 집중 시간

9초 금붕어의 주의집중 시간

인간의 평균 주의 집중 시간 인간의 평균 주의 집중 시간 금붕어의 주의 집중 시간 왜 이런 일이 발생했을까? 주변의 수많은 자극에 적응하다 보니 주의력이 줄어들었다는 것이 통설이다. 생각해 보라. 우리는 매일매일 넘치는 정보의 홍수 속에서 살아가고 있다. 수시로 오는 문자와 카카오톡 메시지, 귀찮아 들여다보지도 않는 이메일처럼 하루하루 우리의 신경을 산만하게 하는 요소가 차고 넘친다. 그 결과 집중해서 주의를 지속하는 시간이 줄어드는 것은 당연한 결과다. 게다가 여러 일을 한꺼번에 하는 멀티태스킹형 업무 방식에 길들여진 젊은 세 대에게 이런 현상은 더욱 심각하게 다가올 수밖에 없다.

뇌 신경세포를 뜻하는 뉴런과 마케팅의 합성어인 뉴로마케팅(Neuro Marketing)의 연구 결과를 보자. 브랜드의 색상이 소비자로 하여금 다양한 감정을 불러일으킨다고 한다. 소비자들이 상품을 구매하는 데 있어 시각적 효과가 약 95%를 차지한다고 하니, 디자인과 색감이 큐레이터에게는 아주 중요하다. 색은 브랜드를 인식하는 강력한 수단으로, 그리고 소비자의 신뢰를 확보하는 무기로 작용한다. 빨간색 코카콜라와 초록색 스타벅스 로고가 소비자의 지갑을 열게 하는 강력한 마케팅 도구로 활용되고 있다는 것은 마케팅 세계에서는 익히 아는 이야기다.

《감정 경제학》

금붕어의 집중력이 9초인데 지금 시대 사람들의 집중력이 8초라는 말이 씁쓸하기만 하다. 지금 현실 사람들의 심리를 알려주는 내용이었다. 어떤 분야든 지금 시대 사람들의 상태, 심리를 알아야만 공격적으로 영업, 마케팅을 할 수 있고 자신 분야 제품을 알릴 수 있는 것이다. 시각적인 효과가 95%를 차지한다는 것은 어마어마한 것이다. 그래서 책 표지 디자인이 중요하다고 말을 하는 것이다. 책 내용도 중요하지만 첫인상을 결정짓는 책 표지로 지금의 집중력 8초를 머물게 하지 못하면 끝이다.

20,000명 심리 상담 코칭 하면서 알게 된 책을 선택하는 사람들의 평균적인 순서가 있었다.
첫 번째 책 표지
두 번째 책 제목
세 번째 책 목차

"신은 사람의 마음을 보지만 사람은 외모를 본다."라는 말이 있듯이 신은 표지를 가리지 않고 보지만 독자들은 표지에서 70% 선택, 목차에서 30% 선택한다.

제목, 책 내용도 중요하지만 책 표지도 제목, 내용만큼이나 중요하다. 그래서 책 표지에 모든 정성을 쏟아야 한다. 위 사진에서 형광 핑크 삼각형에 있는 무료 표지가 있다. 무료 표지는 부크크출판사 자체에서 무료로 제공하는 표지다.

위 사진에서 형광 핑크 동그라미에 있는 구매한 템플릿은 부크크출판사 홈페이지에서 있는 작가 서비스가 있다. 표지 디자인 전문가에서 일정에 돈을 주고 의뢰하는 곳이다. 작가 서비스에서 고급 표지, 표지 디자이너, 내지 디자인, 교정, 교열 유료 서비스를 이용 할 수가 있다.

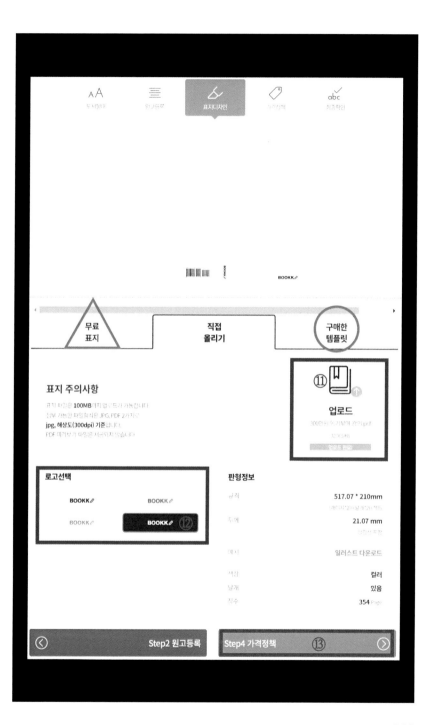

유료서비스 가격

고급 표지 90,000원 ~ 160,000원.

표지 디자인 280,000원 ~ 400,000원.

내지 디자인 기본 40장 80,000원 ~

교정, 교열 10페이지 15,000원 ~

1권 쓰고 말 거라면 책 표지를 돈을 주고 만들면 된다. 하지만 책을 10권, 100권, 1,000권을 출간할 수 있는 기술력을 이 책에서 배우고 있는데 책 표지를 언제까지 돈 주고 만들 것인가? 책 표지 만드는 기술력을 배우면 100년 수입 창출을 할 수 있다. 종이책 1권 제작하면

전자책(PDF)은 자연스럽게 만들 수 있게 된다. 한마디로 종이책 1권을 출간하면 온라인에 1층을 가지고 있는 건물주가 되는 것이다. 필자는 종이책 150권, 전자책 250권 총 400권 출간했다. 한마디로 400층의 온라인 건물주라는 것이다.

월세, 연금성 수입이 얼마 정도 발생할 거 같은가? 앞에서도 언급을 했던 내용 참고하자. 2024년 대한민국 현실은 5명 중 1명이 사기꾼이고 3혹[유혹, 현혹, 화혹(화려함에 혹하다)]에 빠져 3명 중 1명중 한명이 사기 당한다. 대검찰청에 따르면 연간 136만 건 범죄 중 가장 많이 발생하는 범죄가 1위는 사기다. 수입 인증, 통장 인증하는 사람들 90%는 "믿음을 줘야 크게 한탕을 칠 수 있다."라는 심리가 있다. 수입 인증, 통장 인증하는 사람들이 다 사기꾼은 아니다. 하지만 단언컨대 사기꾼들은 수입 인증, 통장 인증을 한다는 것을 명심하자!

이번 생에 힘든 갓물주 위에 건물주는 힘들어도 온라인 건물주는 가능하다는 것이다. 최보규 방탄book 코칭 전문가의 PPT 디자인 수준인 마우(마우스만 움직일 줄 아는 우주 초보)에서 150권 표지를 만들 수 있었던 스토리텔링을 시작한다. 지금부터 상상을 초월하는 기술력을 오픈하기에 스마트폰 무음으로 해놓고 보길 바란다.

한 분야 전문가라면 이제는 자신 분야를 홍보하기 위한 디자인 스펙은 기본으로 해야 한다. PPT를 할 줄 아는 사람이라면 필수이다. 필자의 본업은 강사다. 15년 전 강사 직업을 시작으로 7G 직업(출판사 대표, 작가, 심리 상담사, 코칭 전문가, 강사, 유튜버, 한집의 가장)을 하고 있다.

강사 1년 차 PPT 디자인 수준이 상 → 중 → 하 → 마우(마우스만 움직일 줄 아는 우주 초보)에서 마우였다. 그런데 15년 전 PPT 디자인 수준이 마우였던 필자가 15년이 지난 지금도 PPT디자인 수준이 마우인 사람이 책과 인쇄물(종이책 표지, 종이책 3D 표지, 종이책날개 표지, 전자책 표지, 책에 들어갈 이미지 디자인, 책 출간 후 유튜브 홍보 영상 디자인, SNS 프로필 디자인… 등) 디자인 수준을 어떻게 끌어 올렸는지 150권 표지 디자인한 보고 냉정하게 판단해보길 바란다. 디자인을 보면 디자인 실력, 내공, 가치가 나온다.

#. 뒤에서 나오는 150권 표지 디자인 중에 1%만 공개하고 종이책 표지, 날개 표지 작업 노하우, PPT에서 책 표지, 날개 표지 만드는 노하우까지 공개한다. PPT 디자인 수준이 마우(마우스만 움직일 줄 아는 우주 초보)인 사람도 가능하다는 것을 필자가 증명해 보이겠다.

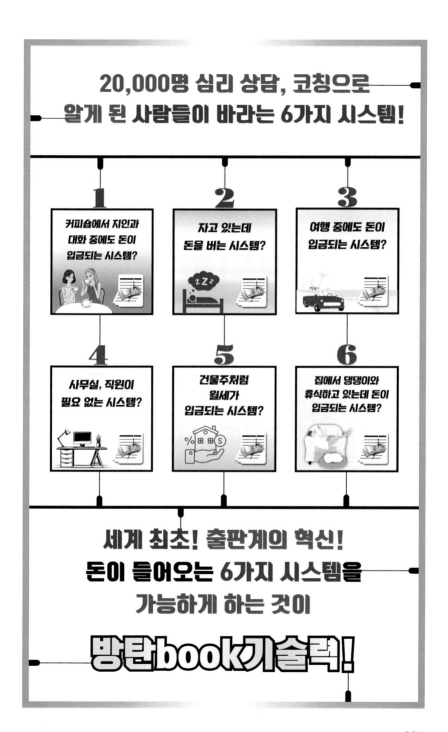

평균 희망 은퇴 73세, 현실 은퇴 나이 49세!
100세 시대 언제까지 몸(노동)으로만
일해서 돈을 벌 것인가?

세상, 현실 기준에서 스펙, 돈, 인맥, 자산 등이 없어서 100세까지 노동을 해야 되고 몸까지 아프면 더 답이 없는 상황! 젊을 때는 100가지 중 99가지를 할 수 있지만 나이 들면 100가지 중 99가지를 할 수 없다. 3고 시대, AI 시대, 챗 GPT 시대에 자신의 직업이 사라 질 수 있는 상황에서 어떻게 준비, 대비할 것인가?

 방탄BOOK기술력
선택이 아닌 필수!

세계 최초
방탄
BOOK
기술력

| Google 자기계발아마존 | ▶YouTube 방탄자기계발 | NAVER 방탄BOOK | NAVER 최보규 |

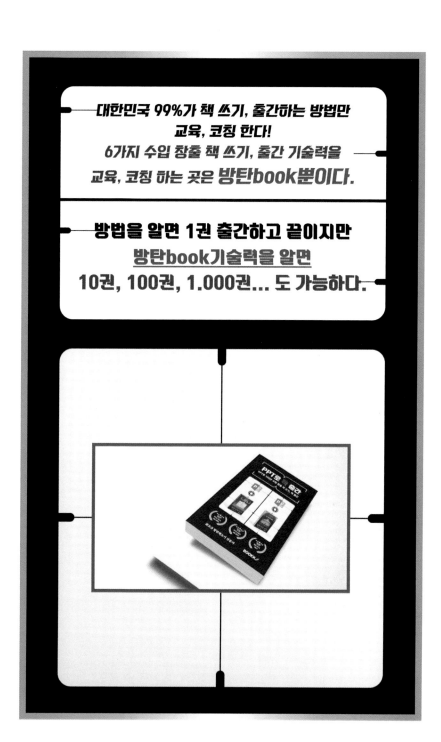

대한민국 99%가 책 쓰기, 출간하는 방법만
교육, 코칭 한다!
6가지 수입 창출 책 쓰기, 출간 기술력을
교육, 코칭 하는 곳은 방탄book뿐이다.

방법을 알면 1권 출간하고 끝이지만
방탄book기술력을 알면
10권, 100권, 1.000권... 도 가능하다.

도서정보   원고등록   표지디자인   가격정책   최종확인

정가설정

55000 원 ☜ ⑭

- 최소가격 **34,700원**입니다.
- 최대 기본정가의 **3배**까지 설정할 수 있습니다.
- 소비자가격은 최소 가격보다 높아야합니다.
- 100원 단위로 설정해야합니다.

정가인하

○ **네**, 정가 수익을 낮추고 소비자가격을 인하 하겠습니다.

◉ **아니요**, 소비자가격을 인하하지 않겠습니다.

외부서점 입점

◉ **네**, 외부 온라인 서점(교보문고, YES24, 알라딘 등) 입점 합니다.
○ **아니요**, 부크크에서만 판매하며, 다른 서점은 원치 않습니다.

- 부크크는 필수 주입점되는 서점입니다.
- 부크크 직접 온라인 서점의 경우 유통사업자에 따라 입점 제한이 있는 수 있습니다.
- 무료 서점입점을 이용하는 경우 **10권이상 판매** 시 정산에 외부유통 신청이 가능합니다.

최종 정가   **55,000** 원

     부크크 서점 입점

기본정가	34,700 원
인쇄비	24,290 원
부크크수수료	8,250 원
작업비 (정가/국민/인세 등)	14,210 원
정가인하	0 원
내수익	**8,250** 원

     외부 서점 입점

기본정가	34,700 원
인쇄비	24,290 원
부크크수수료	8,250 원
외부서점수수료	6,940 원
작업비 (정가/국민/인세 등)	10,020 원
정가인하	0 원
내수익	**5,500** 원

◉ **Step3 표지디자인**

Step5 최종확인 ⑮ ◉

⑭ 정가설정. 책 컬러, 책 페이지 수에 따라 가격이 자동으로 설정이 된다. 최대 기본정가의 3배까지 설정할 수 있다. 외부서점(교보문고, YES24, 알라딘, 웅진북센, 등) 입점 체크하고 책 인세는 부크크 자체에서 판매 되면 15%, 외부 서점에서 판매 되면 10%다.

⑮ 최종 확인. 마지막 단계인 도서 소개, 도서 목차, 저자 경력, 소개 페이지로 이동한다.

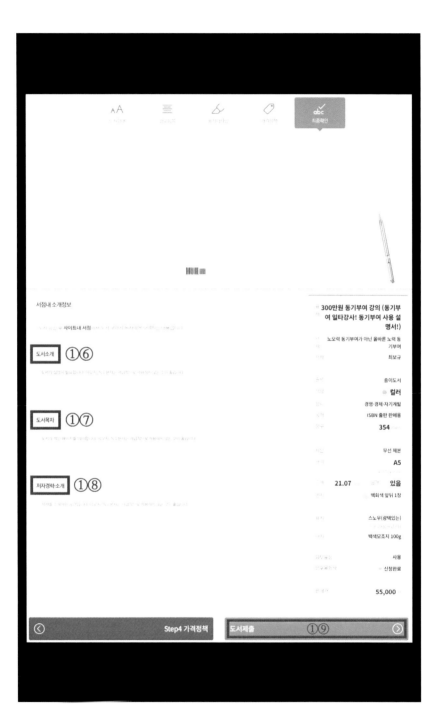

서점내 소개정보

도서소개 ①⑥

도서목차 ①⑦

저자경력소개 ①⑧

300만원 동기부여 강의 (동기부여 일타강사! 동기부여 사용 설명서!)

노오력 동기부여가 아닌 올바른 노력 동기부여

최보규

종이도서

컬러

경영·경제·자기계발

ISBN 출판 판매용

354

무선 제본

A5

21.07　　　　있음

백회색 앞뒤 1장

스노우(광택있는)

백색모조지 100g

사용

신청완료

55,000

Step4 가격정책　　　도서제출　　　①⑨

⑯ 도서 소개. 책 소개를 입력하는 곳이다. 책 표지, 책 제목 다음으로 많이 보는 책 소개다. 책 소개를 보고 책을 구매할지 안 할지 판단한다. 다음으로 나오는《300만원 동기부여 강의》책 소개를 참고하자.

《300만원 동기부여 강의》책 소개

★ 80억 분의 1 ONLY ONE 검증된 동기부여 일타강사의 강의 교안 세계 최초 오픈!
※. 강사가 강의 교안을 오픈하는 것은 통장, 영업 기밀을 오픈하는 거와 같다.

★ 3고(고물가, 고환율, 고금리) 시대, 49세 은퇴 시대 (20대 은퇴 예정자? 30대 은퇴 확정자? 40대 은퇴 위험군?) 점점 더 은퇴 나이가 낮아지고 앞으로 더 힘들어지는 상황에서 자신 가능성을 높이는 동기부여, 자신 분야와 연결하여 제2수입, 제3수입을 지속적으로 만들 수 있는 방법을 제시하는 동기부여를 해 줄 것이다.

특허청 등록! 등록 번호: 제 40-2072344 호 [최보규 자기계발코칭 창시자]
20,000명 심리 상담, 코칭 / 15년 2,000권 독서

자기계발서 100권 출간 / 강사 15년, 강의 6,000회

7G 직업 (출판사 대표, 작가, 심리 상담사, 코칭 전문가, 강사, 유튜버, 한집의 가장)

45년간 습관 320가지 만듦...

많은 경력과 시행착오, 대가 지불, 인고의 시간을 통해 알게 된 동기부여를 세계 최초로 공개한다.

★ 어떤 강의에서도 말하지 못한 동기부여!

★ 어떤 강사도 말하지 못한 동기부여!

★ 어떤 책에도 없는 동기부여!

★ 어떤 영상에서도 볼 수 없는 내용의 동기부여!

⑰ 도서 목차. 책의 목차를 입력하는 곳이다. 다음으로 나오는 《300만원 동기부여 강의》 책 목차 참고하자.

◆ 총정리(피드엔드법칙) 240

◆ 세계 최초 방탄강사 사관학교 272

◆ 지속적인(100년) 수입을 창출할 수 있는 기술력을 체계적으로 배우는 방탄자기계발사관학교 310

◆ 참고문헌, 출처 353

⑱ 저자 경력, 소개. 작가의 스펙이나 소개을 입력하는 곳이다. 다음으로 나오는 《300만원 동기부여 강의》 책 저자 경력, 소개를 참고하자.

《300만원 동기부여 강의》 책 저자 경력, 소개

★ 80억 분의 1 ONLY ONE 검증된 동기부여 일타강사!

★ 대한민국 특허청 등록 [등록 번호: 제 40-2072344호] [최보규 자기계발코칭 창시자]

★ 삼성(전문성, 진정성, 신뢰성)이 검증된 코칭 전문가.

★ 출판계 최초! 출판계의 혁신인 6가지 수입 창출 책 쓰기, 출간 기술력을 창시한 사람. [출판계의 스티브 잡스]

★ 20,000명 심리 상담, 코칭을 통해 많은 사람들을 살리고 함께 울고, 웃고, 공감으로 행복을 주는 동기부여

전문가.

대한민국 극단적인 선택률, 이혼율을 낮추고 행복률을 올리기 위해 방탄자기계발사관학교를 만든 사람.

www.방탄자기계발사관학교.com

★ 20,000 / 7G / 2,000 / 7,000 / 100 / 50 / 6,000 / 45 / 320 / 15 숫자가 말해주는 사람!

20,000명 심리 상담, 코칭.

7G 직업(출판사 대표, 작가, 심리 상담사, 코칭 전문가, 강사, 유튜버, 한집의 가장)

2,000권 독서. 7,000개 메모. 자기계발서 100권 출간.

100권 출간한 책으로 온라인 콘텐츠, 디지털 콘텐츠 제작하여 50층 온라인 건물주.

강의 6,000회. 45년간 습관 320가지 만듦. 강사 15년차.

★ 최보규상(대한민국 노벨상)을 만든 사람.

최보규를 알고 있는 사람들에게 나다운 행복을 만들어 주기 위해 올바른 노력을 하는 사람.

⑲ 도서 제출. 심사, 승인을 받기 위한 최종 단계

최종제출 유의사항

👎 동의 후 제출이 되면, 제출하신 표지와 내시 기준으로 입점을 위한 심사가 진행됩니다.

🔺 부크크에서 승인처리 한 후 다음 영업일 이내까지는 무료로 원고 교체가 가능합니다.
이후 정해진 파일교체일에 진행되며, **5,000원의 비용이 발생 됩니다.**

(예) 금요일 오후 5시 승인시 업무마감 오후 6시라면, 다음 주 월요일 영업시간 내 무료 교체가 가능합니다.

🔺 승인된 도서는 도서판형, 총페이지수, 제목, 저자명, 도서정가, 날개유무 등을 변경 할 수 없습니다.

돌아가기 　　　　　　　　　　　동의 후 제출 ②⊙

---

bookk.co.kr 내용:

해당 단계를 진행하게되면 심사를 위한 제출을 하게 됩니다. 해당 도서를 최종 제출을 처리 할까요?

②①

확인 　　취소

⑳ 동의 후 제출. 동의 후 제출을 클릭하면 임시 서재로 저장이 된다. 동의 후 제출이 되면, 제출한 표지와 내지로 입점을 위한 승인 심사가 진행 된다.

②① 확인. 확인을 누르면 심사를 받는 것이다. 심사를 한 번에 승인받기 위해서는 취소를 누른 다음에 임시 서재에 저장되어 있는 것을 다시 꼼꼼하게 체크를 하고 확인을 누르는 것이 좋다.

심사는 2~3일 정도 걸리는데 승인 반려가 뜨면 시간이 더 길어지기에 임시 서재에 저장해서 꼼꼼하게 빠진 부분은 없는지 한 번 더 확인하는 것이 좋다.

1. 원고가 제작 가능한 규격.

2. 책으로 만들어졌을 때 여백 가능.

3. 서체가 당사 인쇄기기와 호환 유무.

(서체의 경우 문체부체, kopubpro, kopubworldpro 체는 사용 안 됨)

4. 이미지의 해상도나 저작권에 문제가 있을 것 같은 경우에는 저자에게 확인 요청.

필자가 부크크 출판사에서 종이책 150권, 전자책 100권, 유페이퍼 출판사 전자책 150권 총 450권을 출간 하면서 알게 된 것은 부크크 출판사, 유페이퍼 출판사들 심사, 승인 기준이 까다롭지가 않다는 것이다.

심사, 승인 기준 한 번만 통과하면 그 다음에는 심사, 승인 기준이 감이 오기에 수월하게 진행을 할 수 있다. 앞에서 나온 부크크 출판사 종이책 등록 기준, 뒤에 나오는 유페이퍼 출판사 등록 기준을 따라 한다면 심사, 승인은 무난하게 통과할 것이다.

지금까지 부크크출판사의 종이책 등록 매뉴얼 순서를 보면서 이런 생각을 하는 두부류에 사람들이 나온다.

첫 번째 부류

"우와! 책 출간 방법이 이렇게 쉬웠어! 그토록 찾던 책 출간 방법이 여기 있었는데 지금까지 헤매던 시간들을 보상받는 느낌이다. 최보규 방탄book 코칭 전문가님께 감사하다. 부크크출판사 등록 순서대로 하면 돈 안 들이고 혼자서 충분히 할 수 있을 거 같다. 책 출간하는데 이렇게 돈 안 들이고 쉽게 책 출간해도 되나? 진짜 대박이다!"라는 생각이 들 것이다. 이런 생각이 충분히 들 수 있다. 하지만 정작 중요한 것을 모르고 있다.

부크크출판사에 책 출간 등록 매뉴얼은 책 출간만 할 수 있는 방법이지 출판계의 혁신인 방탄book기술력까지 할 수 있는 것이 아니다. 책을 출간해서 6가지 수입을 창출 할 수 있는 방탄book기술력 접목은 ONLY ONE인 최보규 방탄book기술력 창시자밖에 할 수 없다는 것이다.

20,00명 심리 상담, 코칭 하면서 알게 된 것이 있다. 방탄book기술력 과정이 3단계가 있다. 이코노미 코칭, 비지니스 코칭, 퍼스트 클래스 코칭 중 기초 과정인 이코

노미 코칭 과정을 배우면 혼자서도 충분히 할 수 있을 자만심이 생겨 혼자서 책 등록을 하다가 어려워서 도움을 요청하는 사람들이 많았다. 쉬운 설명이라도 자신이 막상 하면 어려운 경우가 많다.

세 번째 부류.

"음... 시중에 책 쓰기 책, 책 출간 책보다는 좀 더 쉽게, 디테일하게 설명을 했지만 혼자서 하기가 쉽지 않을 거 같은데... 최보규 방탄book기술력 창시자님도 마우 실력으로 150권을 출간 했다고 했는데... 마우 수준인 나는 그래도 어렵다."라는 자신감 없는 생각이 들 것이다. 자신감 없는 생각이 드는 것은 지극히 자연스러운 것이다.

단언컨대 시중에 많이 있는 책 쓰기, 책 출간 책들 중에 이렇게까지 세부적으로 디테일하게 초보자 눈높이에서 설명해 놓은 것을 보고도 시도를 안 한다면 그 어떤 책 쓰기, 책 출간 책을 보더라도 할 수 없을 것이다.

자신을 못 믿는 사람들이 많을 것이다. 하지만 자신을 믿어주는 최보규 방탄book기술력 창시자를 믿고 시작하면 된다. 우주 최강 책임감 150년 a/s, 피드백, 관리를 받고 싶다면 방탄book기술력 교육, 코칭을 받길 바란다.

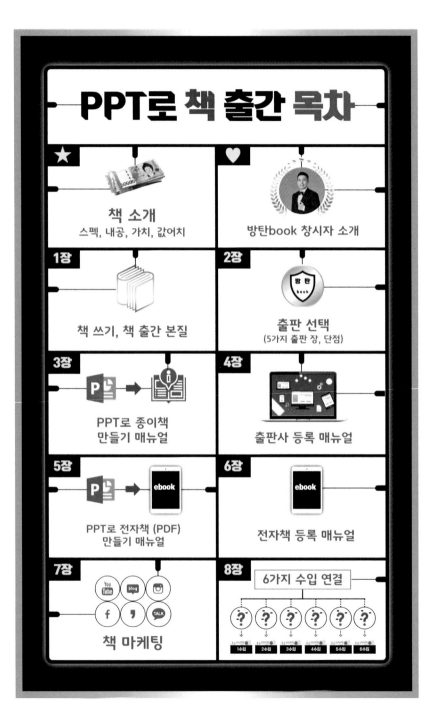

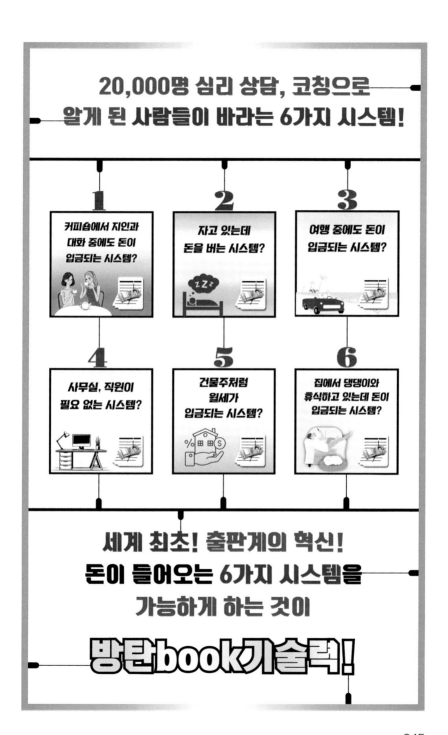

평균 희망 은퇴 **73세,** 현실 은퇴 나이 **49세!**
100세 시대 언제까지 몸(노동)으로만
일해서 돈을 벌 것인가?

세상, 현실 기준에서 스펙, 돈, 인맥, 자산 등이
없어서 100세까지 노동을 해야 되고 몸까지 아
프면 더 답이 없는 상황! 젊을 때는 100가지 중
99가지를 할 수 있지만 나이 들면 100가지 중
99가지를 할 수 없다. 3고 시대, AI 시대, 챗
GPT 시대에 자신의 직업이 사라 질 수 있는 상황
에서 어떻게 준비, 대비할 것인가?

 방탄BOOK기술력
선택이 아닌 필수!

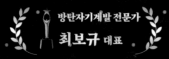

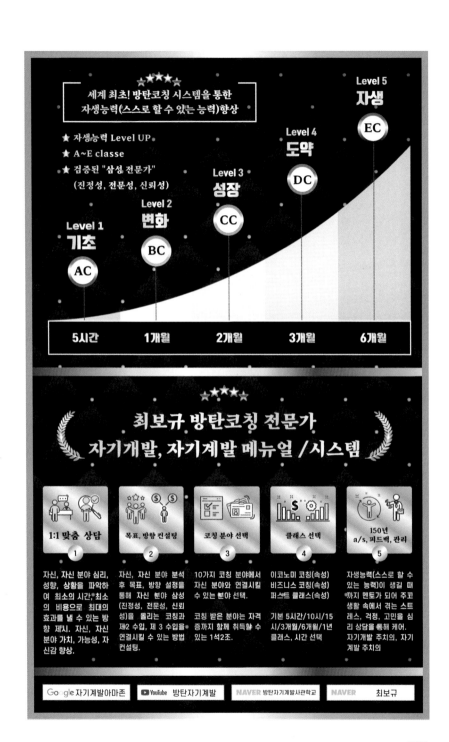

세계 최초! 방탄코칭 시스템을 통한
자생능력(스스로 할 수 있는 능력)향상

★ 자생능력 Level UP
★ A~E classe
★ 검증된 "삼성 전문가"
　(진정성, 전문성, 신뢰성)

Level 5
자생
EC

Level 4
도약
DC

Level 3
성장
CC

Level 2
변화
BC

Level 1
기초
AC

| 5시간 | 1개월 | 2개월 | 3개월 | 6개월 |

최보규 방탄코칭 전문가
자기개발, 자기계발 메뉴얼 /시스템

1:1 맞춤 상담
1

목표, 방향 컨설팅
2

코칭 분야 선택
3

클래스 선택
4

150년
a/s, 피드백, 관리
5

자신, 자신 분야 심리, 성향, 상황을 파악하여 최소의 시간, 최소의 비용으로 최대의 효과를 낼 수 있는 방향 제시. 자신, 자신 분야 가치, 가능성, 자신감 향상.

자신, 자신 분야 분석 후 목표, 방향 설정을 통해 자신 분야 삼성(진정성, 전문성, 신뢰성)을 올리는 코칭과 제2 수입, 제 3 수입을 연결시킬 수 있는 방법 컨설팅.

10가지 코칭 분야에서 자신 분야와 연결시킬 수 있는 분야 선택.

코칭 받은 분야는 자격증까지 함께 취득할 수 있는 1석2조.

이코노미 코칭(속성) 비즈니스 코칭(속성) 퍼스트 클래스(속성)

기본 5시간/10시/15시/3개월/6개월/1년 클래스, 시간 선택

자생능력(스스로 할 수 있는 능력)이 생길 때까지 멘토가 되어 주고 생활 속에서 겪는 스트레스, 걱정, 고민을 심리 상담을 통해 케어. 자기개발 주치의, 자기계발 주치의

| Go gle 자기계발아마존 | ▶YouTube 방탄자기계발 | NAVER 방탄자기계발사관학교 | NAVER 최보규 |

★ ★ ★ ★ ★

검증된 전문가 교육시스템

회원제를 통한 맞춤 학습, 연습, 훈련
오프라인 전문상담사가 검진 후 특별맞춤 학습, 연습, 훈련

검증된 강사코칭 전문가
세계 최초 강사 백과사전
강좌 사용설명서를 만든 전문가!
150년 A/S, 관리,해주는 책임감!

검증된 책 쓰기 전문가 100권
행복히어로
나다운 강사 1, 2
나다운 방탄멘탈
나다운 방탄습관블록
나다운 방탄 카피 사전
나다운 방탄자존감 명언 I , II
방탄자기계발 사관학교
자기계발코칭전문가 1,2,3,4,5,6
나다운 방탄리더십 1,2,3,4,5
외 100권

검증된 자기계발 전문가
방탄행복 창시자!
방탄멘탈 창시자!
방탄습관 창시자!
방탄자존감 창시자!
방탄자기계발 창시자!
방탄강사 창시자!
방탄리더십 창시자!

검증된 상담 전문가
20,000명 심리 상담, 코칭!
독학하기 힘든 자자자멘습긍
(자존감, 자신감, 자기관리, 자기계
발, 멘탈, 습관, 긍정)
1:1 케어까지 해주며 행복 주치의가
되어주는 전문가!

★ ★ ★ ★ ★
강력추천

이런 사람들 반드시 상담, 코칭 받으세요!

현재 상황에 가장 필요한 것을 상담 후 가장 효율적인 시스템을 적용합니다.

**변화, 성장, 배움, 행동
동기부여, 셀프케어**

1

지금처럼이 아니라 지금부
터 다시 시작하고 때를 기
다리는 사람이 아닌 때를
만들고 싶은 분

자신분야 전문성
(진정성, 전문성, 신뢰성)

2

경력은 스펙이 아니다! 자
신 분야 차별화로 부케릭
터(부업)만들어 자신 몸
값을 올리고 싶은 분

**자신분야 자동
시스템(돈) 연결**

3

움직이지 않아도 자동으로
돌아가는 돈 버는 시스템
을 만들고 싶은 분

354

★★★★★ **차별이 아닌 초월 혜택** ★★★★★

Google 자기계발아마존   ▶YouTube 방탄자기계발   NAVER 방탄동기부여   NAVER 최보규

이코노미 PT

기본 5H : 500,000원

- ☑ 150년 A/S (세계 최초)
- ☑ 마스터한 분야 자격증 1종 취득
- ☑ 방탄자기계발사관학교 강사 위촉
- ☑ 방탄자기계발사관학교 마스터 위촉
- ☑ 비지니스 PT 10% 할인
  (10만원 상당)
- ☑ 퍼스트클래스 PT 10% 할인
  (30만원 상당)
- ☑ 마스터한 분야 실전 2시간 강의
  교안 제공. (강사료 200만원 상당)

특허청 등록
최보규 자기계발코칭 창시자
등록 번호: 제 40-2072344 호

★★★★★ 차별이 아닌 초월 시스템 ★★★★★

타사와 비교불가 초월 혜택!
자신 분야 온라인 건물주가 되어 100년 수입 창출!

| Google 자기계발아마존 | ▶YouTube 방탄자기계발 | NAVER 강사야 | NAVER 최보규 |

비지니스 PT

기본 5H : 500,000원

CHECK POINT

☑ 기본 1회(2~3일=10H)

☑ 6가지 수입 창출 시스템 실전 훈련

☑ 150년 A/S, 피드백

356

★★★★★ **차별이 아닌 초월 혜택** ★★★★★

비지니스 PT

기본 10H : 1,000,000원

- ☑ 150년 A/S, 피드백
- ☑ 마스터한 분야 자격증 1종 취득
- ☑ 방탄자기계발사관학교 전임 강사 위촉
- ☑ 방탄자기계발사관학교 전임 마스터 위촉
- ☑ 퍼스트클래스 PT 10% 할인
  (30만원 상당)
- ☑ 강사 맞춤 트레이닝 비대면 1회 제공
  (50만원 상당)
- ☑ 마스터한 분야 실전 2시간 강의 교안
  제공, 1:1 맞춤 교안 설명
  (강사료 200만원 / 1:1 맞춤 100만원 상당)

357

특허청 등록
최보규 자기계발코칭 창시자
등록 번호: 제 40-2072344 호

★★★★★ **차별이 아닌 초월 시스템** ★★★★★

타사와 비교불가 초월 혜택!
자신 분야 온라인 건물주가 되어 100년 수입 창출!

Google 자기계발아마존　　▶YouTube 방탄자기계발　　NAVER 강사야　　NAVER 최보규

퍼스트클래스 *PT*

기본 15H : 3,000,000원~

CHECK POINT

☑ 기본 1회(15H) / (2회 ~ 5회 선택 사항)

☑ 6가지 수입 창출 **자동 시스템 구축**

☑ 150년 A/S, 피드백, VIP맞춤 관리

359

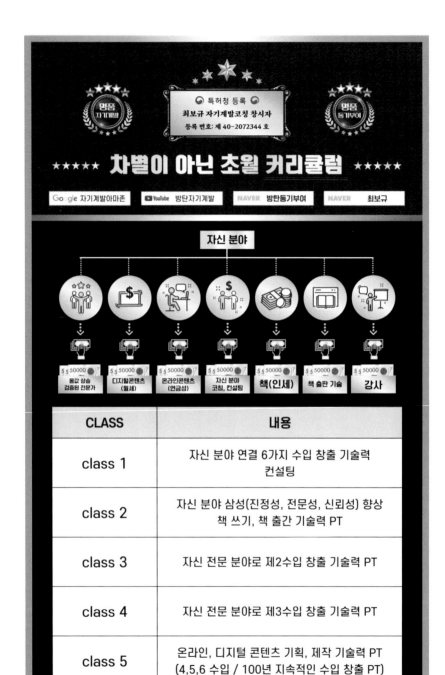

CLASS	내용
class 1	자신 분야 연결 6가지 수입 창출 기술력 컨설팅
class 2	자신 분야 삼성(진정성, 전문성, 신뢰성) 향상 책 쓰기, 책 출간 기술력 PT
class 3	자신 전문 분야로 제2수입 창출 기술력 PT
class 4	자신 전문 분야로 제3수입 창출 기술력 PT
class 5	온라인, 디지털 콘텐츠 기획, 제작 기술력 PT (4,5,6 수입 / 100년 지속적인 수입 창출 PT)

◆ 참고문헌, 출처

《왓칭》왓칭, 정신세계사, 2011

〈유튜브 북토크〉

방탄책쓰기사관학교(www.방탄book.com)

파워포인트

한글

《상상하여? 창조하라!》유영만, 위즈덤하우스, 2008

〈참사람, 오스틀로이드 부족의 이야기〉

〈유뷰브 열정의 기름붓기〉

〈유튜브 터닝포인트 - 위대한 성공의 시작점〉

〈열정에 기름 붓기〉

〈유튜브 Demirören Haber Ajansı〉

(2020년 8월 11일 앙코르메일)

〈고도원의 아침편지〉

- 강성남 칼럼위원(담양문화원장)- 〈담양뉴스〉

〈네이버 블로그 카루의 프리랜서 라이프〉

〈국어사전〉

〈부크크(bookk)〉

《감정 경제학》조원경, 페이지2북스, 2023

PPT로 책 출간 1

(출판계의 혁신! 6가지 시스템 수익 창출 책 출간!)

발 행 | 2024년 02월 25일

저 자 | 최보규, 서윤희

편 집 | 최보규, 서윤희

디자인 | 최보규, 서윤희

마케팅 | 최보규

펴낸이 | 한건희

펴낸곳 | 주식회사 부크크

출판사등록 | 2014.07.15.(제2014-16호)

주 소 | 서울특별시 금천구 가산디지털1로 119 SK트윈타워 A동 305호

전 화 | 1670-8316

이메일 | info@bookk.co.kr

ISBN | 979-11-410-7229-2

www.bookk.co.kr